SOBRE PATINES

Victoria Jamieson

MAEVA young

Muchas gracias a las patinadoras de todo el mundo que me han permitido utilizar sus nombres de guerra para algunos de mis personajes. Este libro está dedicado a ellas y a todas las patinadoras, los organizadores, voluntarios y aficionados que dan vida al roller derby. Estoy muy orgullosa de formar parte de esa fantástica comunidad.

Este libro se ha elaborado con papel procedente de bosques gestionados de forma sostenible, reciclado y de fuentes controladas, avalado por el sello de PEFC, la asociación más importante del mundo para la sostenibilidad forestal.

MAEVA desea contribuir al esfuerzo colectivo y permanente de proteger y preservar el medio ambiente y nuestros bosques con el compromiso de producir nuestros libros con materiales responsables.

Título original: *Roller Girl*

Texto: © Victoria Jamieson, 2015

© MAEVA EDICIONES, 2018
Benito Castro, 6
28028 MADRID
www.maevayoung.es

ISBN: 978-84-17108-38-0
Depósito legal: M-276-2018

Diseñado por Victoria Jamieson y Jason Henry
Traducción: © Sonia F. Ordás, 2018
Adaptación de cubierta e interiores: Gráficas 4

Este libro lo distribuye en EEUU Lectorum LECTORUM

CAPÍTULO ⋆ 1
Cómo empezó todo

SI QUERÉIS SABER LA VERDAD, TODO EMPEZÓ EN QUINTO DE PRIMARIA, CUANDO NICOLE AÚN ERA MI MEJOR AMIGA.

VENGA, AL COCHE LAS DOS.

ANDA, MAMÁ. ¿NO PUEDES DECIRNOS ADÓNDE VAMOS?

NO, ES UNA SORPRESA.

LUEGO MAMÁ PRONUNCIÓ LAS PALABRAS QUE SIEMPRE INFUNDEN PAVOR Y MIEDO EN MI CORAZÓN...

... ¡VAMOS A DISFRUTAR DE UNA TARDE DE ENRIQUECIMIENTO CULTURAL!

os va a encantar, chicas!

entes femeninos positivos y fue: Sois muy afortunadas. Yo a vuestra edad...

NO PROMETÍA NADA BUENO PARA UNA TARDE DE VIERNES. YA HABÍAMOS SOPORTADO ALGUNA QUE OTRA **TEC** DE MAMÁ.

SIN EMBARGO, ESA TARDE
TENÍA MEJOR PINTA.

¡EH! ¿VAMOS
A IR AL PARQUE
DE ATRACCIONES?

NO
EXACTAMENTE...

NOS UNIMOS A UNA COLA CON GENTE MUY RARA.

MAMÁ, ¿NOS
VAS A VENDER
AL CIRCO?

SEÑORA V.,
¡SOY MUY JOVEN
PARA TRABAJAR
DE FERIANTE!

ESPERAD, NO
OS MOVÁIS.

...LAS LUCES SE APAGARON.

RRRROLLER DERBY?

LES PRESENTO A NUESTROS DOS EQUIPOS. ¡POR FAVOR, DEMOS LA BIENVENIDA A NUESTRAS JUGADORAS VISITANTES, LAS PATINADORAS DE OREGON CITY!

Y POR SUPUESTO, LAS HEROÍNAS DE PORTLAND, LA CIUDAD DE LAS ROSAS, NUESTRAS PATINADORAS... ¡LAS ROSAS!

SEA LO QUE SEA... ¡ES MUCHO MEJOR QUE EL MUSEO!

¿VES? TU MADRE A VECES ACIERTA.

EL PRESENTADOR ANUNCIÓ LAS ALINEACIONES, Y TODAS LAS JUGADORAS TENÍAN NOMBRES TAN EXTRAVAGANTES COMO...

ÁGUILA ARDIENTE

UNICORNIO EXPLOSIVO

SARI PROFETA DE YOGA

PELEONA FELIZ

TESS BRAMIDO

TODAS PARECÍAN MUY DURAS, CASI COMO LAS INTERNAS DE UN DOCUMENTAL SOBRE CÁRCELES DE MUJERES QUE MAMÁ ME OBLIGÓ A VER EN UNA DE SUS **TEC**.

PELO RARO

TATUAJES

ROPA EXTRAÑA

MAQUILLAJE TERRORÍFICO

EL PROGRAMA EXPLICABA ALGUNAS REGLAS.

BÁSICAMENTE, HAY UNA ANOTADORA A LA QUE LLAMAN **jammer**, QUE LLEVA UNA ESTRELLA EN EL CASCO.

INTENTA REBASAR A LAS **bloqueadoras** DEL EQUIPO CONTRARIO. POR CADA UNA QUE PASA, SE ANOTA UN PUNTO.

$1 + 1 + 1 + 1 = 4$ **puntos**

POR SUPUESTO, LAS BLOQUEADORAS NO QUIEREN QUE ANOTE PUNTOS, Y AHÍ ES DONDE EMPIEZAN LOS BLOQUEOS Y LAS CAÍDAS.

¡TOMA YA, LISTA!

HABÍA UNA JAMMER, DENTELLADA DE ARCOÍRIS, MUY FÁCIL DE DISTINGUIR POR SUS MEDIAS CON LOS COLORES DEL ARCOÍRIS.

PARECÍA UNA SUPERHEROÍNA.

¿A QUE ES LO MEJOR QUE HAS VISTO EN TU VIDA?

BUENO... DA UN POCO DE MIEDO.

POR DIOS, NICOLE, A VECES PARECES UNA NIÑA PEQUEÑA.

EN EL DESCANSO PEDIMOS PERMISO A MAMÁ PARA BAJAR Y SENTARNOS SOLAS EN LA PISTA... ¡Y DIJO QUE SÍ!

¡IGUAL NOS SENTAMOS CON UN CHICO GUAPO!

NO TE ESTÁS ENTERANDO DE QUÉ VA ESTO, NICOLE.

GENIAL.

ASÍ DE CERCA ESTÁBAMOS DE LA ACCIÓN:

PATINADORAS

NOSOTRAS*

BARRERA DE GOMAESPUMA

* FIJAOS EN NICOLE, PARECE CONTENTA EN ESTA ESCENA. ESTO ES LO QUE SE CONOCE COMO «LICENCIA ARTÍSTICA».

¿VES? ESTÁN RIENDO Y DIVIRTIÉNDOSE. ¡ES UN **JUEGO**!

ESO PARECE...

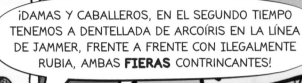

¡DAMAS Y CABALLEROS, EN EL SEGUNDO TIEMPO TENEMOS A DENTELLADA DE ARCOÍRIS EN LA LÍNEA DE JAMMER, FRENTE A FRENTE CON ILEGALMENTE RUBIA, AMBAS **FIERAS** CONTRINCANTES!

¡OOOH, Y DENTELLADA DE ARCOÍRIS SE LLEVA UN **BUEN** GOLPE EN LA SEGUNDA VUELTA!

¡Uy! ¡Uy! ¡Uy!

GUIÑO

¡CON UN GUIÑO Y UNA SONRISA, VUELVE A INCORPORARSE SOBRE SUS PATINES, Y AL PARTIDO! ESO, DAMAS Y CABALLEROS, ES LO QUE YO LLAMO...

¡...UNA CAMPEONA!

CAPÍTULO · 2

A LA MAÑANA SIGUIENTE, BIEN PRONTITO, LLEGÓ EL INICIO DE MI NUEVA VIDA.

LO PRIMERO QUE HICE FUE COLGAR MI PÓSTER NUEVO ENCIMA DE LA CAMA. YA IBA SIENDO HORA DE TAPAR EL VIEJO MURAL DEL SISTEMA SOLAR. ERA LO ÚNICO QUE VEÍA DESDE SEGUNDO DE PRIMARIA.

AHORA DENTELLADA DE ARCOÍRIS SERÍA LO PRIMERO QUE VERÍA POR LA MAÑANA, Y LO ÚLTIMO POR LA NOCHE.

LUEGO, HICE UNA LISTA DE TODO LO QUE HABÍA APRENDIDO EN LAS PELÍCULAS DE DEPORTES.

1) ¡¡¡¡Patinar!!!!

2) Hacer pesas

3) Comer huevos crudos

4) Ver más películas sobre deportes

EL NÚMERO UNO DE LA LISTA ERA LO MÁS APETECIBLE, Y DECIDÍ EMPEZAR POR AHÍ.

BUENOS DÍAS, QUERIDA MAMÁ. ¿TE APETECE UN ZUMO DE NARANJA RECIÉN HECHO?

SE TE VE GENIAL EL PELO BAJO ESTA LUZ FLUORESCENTE. ¿TE ESTÁS HACIENDO UN TRATAMIENTO NUEVO?

¿QUÉ QUIERES?

¿NOS PUEDES LLEVAR A NICOLE Y A MÍ A LA PISTA DE PATINAJE? ¿POR FAVOR? ¿POR FAVOR? ¡¿POR FAVOR?!

SUSPIRO ¿QUÉ HE CREADO? DE ACUERDO, VÍSTETE, SALDREMOS EN MEDIA HORA.

¡YO YA ESTOY, MAMÁ!

PLOF

¿LE HAS PREGUNTADO A NICOLE SI QUIERE IR?

OH, SEGURO QUE SÍ QUE QUIERE VENIR, LO SÉ.

POR SUPUESTO QUE LE APETECERÍA VENIR. ERA MI MEJOR AMIGA, Y ESO ES LO QUE TIENEN LAS MEJORES AMIGAS, QUE TODO LO HACEN JUNTAS.

ANTES QUE NADA, QUIZÁ OS PREGUNTÉIS CÓMO NICOLE SE CONVIRTIÓ EN MI MEJOR AMIGA.

EN REALIDAD, TODO FUE GRACIAS A LA SABELOTODO DE RACHEL. Y A LA ARDILLA MUERTA.

RACHEL ERA UNA IDIOTA MARIMANDONA YA EN PRIMERO.

QUE NADIE TOQUE A ESA ARDILLA.

ME BUSCÓ LAS COSQUILLAS DESDE EL PRINCIPIO.

TÚ NO MANDAS EN TODO EL MUNDO.

¡HE *DICHO* QUE NO LA TOQUÉIS!

TÚ NO ME DICES LO QUE TENGO QUE HACER.

PLIN

¡RABIA! ¡ASTRID TIENE LA RABIA!

¡NO LA TENGO!

NO OS ACERQUÉIS A ELLA. PODRÍA CONTAGIAROS.

AHORA EMPEZARÁS A ECHAR ESPUMA POR LA BOCA, LUEGO TE VOLVERÁS LOCA Y DESPUÉS TE **MORIRÁS**.

CUANDO VOLVIMOS A CLASE, PREGUNTÉ A LA SEÑORITA JUDKINS SI PODÍA IR AL LAVABO.

¿TE ENCUENTRAS BIEN? TIENES MALA CARA.

¡LA RABIA!

ME LAVÉ LAS MANOS UNAS 50 VECES CON AGUA CALIENTE.

¿ESTABA ECHANDO ESPUMA POR LA BOCA? ¿O SOLO ERAN BURBUJAS DE SALIVA?

LA VERDAD ES QUE NO ME ENCONTRABA NADA BIEN. QUIZÁ TENÍA LA RABIA. QUIZÁ ESE ERA MI FIN.

¿POR QUÉ LA TOQUÉ? ¿POR QUÉ?

PERO ENTONCES...

¿HOLA?

...ENTRÓ NICOLE, QUE HABÍA PEDIDO PERMISO PARA SALIR.

DÉJAME VERTE LAS MANOS.

NO TIENES NINGUNA HERIDA EN LAS MANOS... ESTÁS BIEN.

¿ESTÁS SEGURA? *SNIF*

PUES CLARO. MI TÍA ES MÉDICO Y ME ENSEÑA ESE TIPO DE COSAS.

Y, SIN MÁS, EMPECÉ A ENCONTRARME MEJOR.

NICOLE SE QUEDÓ CONMIGO MIENTRAS ME LAVABA LAS MANOS OTRA VEZ.

CUANDO ACABÉ, ME PASÓ UN MONTÓN DE TOALLITAS DE PAPEL.

CUANDO UNA PERSONA TE SALVA LA VIDA DE ESA MANERA...

... SOLO PUEDE CONVERTIRSE EN TU MEJOR AMIGA.

CAPÍTULO 3

VOLVAMOS AL PRESENTE. Y AL PATINAJE. CLARO QUE NICOLE QUERÍA VENIR, COMO YO HABÍA DICHO.

SKATE WORLD

VOY A SER ALGO PARECIDO A LA TIGER WOODS DEL PATINAJE.

PUES YO SERÉ MICHELLE KWAN, QUE ES AÚN MEJOR, PORQUE ES PATINADORA.

RECORDAD QUE LA MADRE DE NICOLE OS RECOGERÁ A LAS 11 Y OS TRAERÁ A CASA DESPUÉS DE LA CLASE DE BALLET DE NICOLE. LLAMAD SI NECESITÁIS ALGO Y NO OS SEPARÉIS.

VALE, MAMÁ. ADIÓS.

¡EH, AHÍ ESTÁN ADAM Y KEITH!

ESTABA IMPACIENTE POR EMPEZAR A PATINAR.

MI MADRE ME HA DADO 20 DÓLARES. A LO MEJOR DESPUÉS PODEMOS IR AL BAR.

AJÁ.

QUIZÁ DENTELLADA DE ARCOÍRIS ESTÉ ENTRENANDO AQUÍ HOY. QUIZÁ LOS EQUIPOS DE ROLLER DERBY HAGAN EXCEPCIONES CON PATINADORAS JÓVENES CON MUCHO TALENTO.

PASO

¡PLAF!

¿CÓMO...

... HACES...

... PARA...

... NO...?

PUES... SOLO TIENES QUE FLEXIONAR LAS RODILLAS Y HACER FUERZA HACIA LOS LADOS.

YA **ESTOY** FLEXIONANDO LAS RODILLAS.

NICOLE PATINABA A MI LADO MIENTRAS YO ME AGARRABA A LA BARANDILLA.

¡ESO ES! ¡LO ESTÁS HACIENDO MUCHO MEJOR!

OYE, SEGURO QUE TE ESTÁS ABURRIENDO. ¿POR QUÉ NO PATINAS UN POCO A TU AIRE?

BUENO..., VALE.

LA VI PATINAR CADA VEZ MÁS DEPRISA. ¿CÓMO SABÍA HACERLO TAN BIEN?

LA VI CUANDO...

¡... SE ACERCÓ A ADAM BISHOP!

¡UFF!

POR FAVOR, NO TE QUEDES AHÍ. ESTÁS ENTORPECIENDO EL PASO DE MI HIJO.

TEN MÁS CUIDADO. HAY MUCHOS NIÑOS PEQUEÑOS POR AQUÍ.

VAYA SI LOS HABÍA...

AL FINAL LOGRÉ LLEGAR LA SALIDA...

NO PREGUNTÉIS CÓMO.

DE HECHO, LLEGUÉ HASTA EL BAÑO Y ME ENCERRÉ PARA PASAR ALLÍ LA HORA SIGUIENTE.

LA HISTORIA DE MI VIDA.

¿HOLA?

TE HE COMPRADO UN REGALO EN LA TIENDA.

¡UNAS MEDIAS CON EL ARCOÍRIS! ¡IDÉNTICAS A LAS DE DENTELLADA DE ARCOÍRIS!

NICOLE SE QUEDÓ CONMIGO MIENTRAS ME LAVABA LA CARA. ME SEQUÉ LOS OJOS CON MIS MEDIAS NUEVAS, QUE ME DEJARON UNA SENSACIÓN AGRADABLE Y FRESCA.

ESE ES EL TIPO DE MEJOR AMIGA QUE ES NICOLE. BUENO, QUE ERA.

¿CÓMO HA IDO?

¡GENIAL!

NORMAL.

¿TE HA SOBRADO DINERO?

OH... ME LO GASTÉ EN EL BAR.

MIENTRAS NICOLE Y SU MADRE DISCUTÍAN, YO ME QUEDÉ PENSANDO.

NICOLE, ¿CREES QUE TODAS VAN A SER BUENAS EN EL CAMPAMENTO DE PATINAJE?

¿CAMPAMENTO DE PATINAJE? ¿Y ESO?

¿NO..., NO SE LO HAS DICHO?

YO..., EEEH...

¡ES UN CAMPAMENTO DE ROLLER DERBY! TE ENSEÑAN A PATINAR BIEN Y...

¿ROLLER DERBY? ¡VAYA! ¡ME SORPRENDE QUE TU MADRE TE DEJE IR A ESAS COSAS!

EN SERIO, ¿ROLLER DERBY? NO ERES EXACTAMENTE LO QUE YO LLAMARÍA UNA CHICA DURA.

BUENO, **LO CIERTO ES** QUE NICOLE Y YO...

¡MAMÁ! ACABO DE ACORDARME. TENGO QUE PAGARLE A LA SEÑORITA KENDALL MI TRAJE DE BALLET.

NO VOLVÍ A ABRIR LA BOCA EN TODO EL CAMINO HASTA LA ACADEMIA DE BALLET DE NICOLE.

UF, AHÍ ESTÁ RACHEL. NO ME PUEDO CREER QUE VAYAMOS A IR AL MISMO INSTITUTO EL AÑO QUE VIENE.

¡NICOLE! ¡SEÑORA B.! ¡HOLA!

RACHEL SE HABÍA CAMBIADO A OTRO COLEGIO EN TERCERO. FUE EL DÍA MÁS FELIZ DE MI VIDA.

YA NO ES LA QUE ERA. DEBERÍAS DARLE OTRA OPORTUNIDAD.

¡JA!

HOLA, RACHEL.

¡RACHEL, CARIÑO! ¡CÓMO ME ALEGRO DE VERTE!

HOLA, ASTRID. ¿QUÉ HACES **TÚ** AQUÍ?

GRRRR

NICOLE, ¿NO TE HACE MUCHA ILU EL CAMPAMENTO DE BALLET?

EH... BUENO...

¿DE BALLET?

CAPÍTULO · 4

LOS PRIMEROS DÍAS DE VERANO PASARON SIN PENA NI GLORIA. MAMÁ ME INSCRIBIÓ EN EL CAMPAMENTO DE ROLLER DERBY.

¿QUIERES INVITAR A NICOLE A CASA PARA INSCRIBIROS JUNTAS?

MMM... NO, DA IGUAL. SE VA A APUNTAR POR SU CUENTA.

RECUÉRDAME QUE TENGO QUE LLAMAR A SU MADRE PARA VER CÓMO OS LLEVAMOS Y OS RECOGEMOS.

Rose City Rollers

Campamento infantil de Roller Derby

VOY A PULSAR «SÍ». ¿DE VERDAD ESTÁS SEGURA?

epto los términos de este acuerdo por el cual el Club de Patinaje Las Rosas no se responsabiliza de ninguna lesión sufrida.

Sí, estoy de acuerdo.

¿ESTABA SEGURA? ERA UN DESASTRE PATINANDO, Y NICOLE ESTABA MUY RARA, PERO...

SÍ, CLARO.

CREO.

AUNQUE NO HABÍAMOS TENIDO NINGÚN **PROBLEMA**…, YO SEGUÍ EVITANDO A NICOLE UNOS DÍAS SIN SABER POR QUÉ. Y **ESO** SÍ QUE FUE ABURRIDÍSIMO.

¿AÚN SIGUES VIENDO LA TELE? ¡LLEVAS DESDE POR LA MAÑANA!

BUENO, DISFRÚTALA MIENTRAS PUEDAS. ¡ME HA LLEGADO LA LISTA DEL MATERIAL QUE NECESITAS PARA EL ROLLER DERBY!

Y TE HE COMPRADO UN REGALO, PORQUE SOY UNA MADRE MARAVILLOSA.

¡Y ADEMÁS, DE TU COLOR FAVORITO!

OH… ¡GUAU! ¡GRACIAS, MAMÁ!

ALQUILAREMOS EL RESTO DEL MATERIAL, ASÍ QUE SOLO NOS FALTAN POR COMPRAR UN PROTECTOR BUCAL Y UNA BOTELLA PARA EL AGUA.

MI PEQUEÑA ESTRELLA DEL ROLLER DERBY. ¿TE GUSTA?

SÍ. CLARO QUE ME GUSTABA. ESTABA EMPEZANDO A SENTIRME MEJOR QUE EN TODA LA SEMANA HASTA QUE...

¿POR QUÉ NO TE LO PONES PARA IR EN BICI A CASA DE NICOLE?

AH, ES QUE... NO QUIERO QUE SE ME ESTROPEE.

NO SEAS BOBA, ES UN **CASCO**. LLEVAS TODO EL DÍA ENCERRADA EN CASA, SAL A QUE TE DÉ UN POCO EL AIRE.

LOS PADRES SIEMPRE DICEN «SAL A QUE TE DÉ UN POCO EL AIRE» COMO SI EL HECHO DE ECHARTE DE CASA FUESE UN PREMIO.

ME GUSTA TU CASCO.

ME LO HA COMPRADO MI MADRE PARA EL CAMPAMENTO DE ROLLER DERBY.

AH.

PODRÍAMOS DECORAR NUESTROS CASCOS JUNTAS.

ASTRID...

PODRÍAS AYUDARME A PINTAR UN ARCOÍRIS EN EL MÍO. ¡DIBUJAS MUCHO MEJOR QUE YO!

¡Y PODRÍAS PINTAR UNAS ZAPATILLAS DE BALLET EN EL TUYO!

¡ASTRID!

NO VOY A IR A ROLLER DERBY.

¿HABÉIS JUGADO ALGUNA VEZ AL KICKBALL? ESTÁS EN LA ZONA EXTERIOR. UN JUGADOR SE ACERCA AL PLATO, DA UNA PATADA AL BALÓN Y SALE DIRECTO HACIA TI. TE PONES A GRITAR «¡LO TENGO, LO TENGO!», CORRES A ATRAPARLO Y...

... Y TE GOLPEA JUSTO EN EL ESTÓMAGO.

SÍ, ASÍ ME SENTÍ EN ESE INSTANTE.

NUNCA **ME PREGUNTASTE** SI YO TAMBIÉN QUERÍA IR. LO DISTE **POR HECHO**. ¡Y YO PREFIERO IR AL CAMPAMENTO DE BALLET! VOY A EMPEZAR A BAILAR EN PUNTAS Y...

¿ES POR TU MADRE?, PORQUE ENTONCES, A LO MEJOR MI MADRE PUEDE LLAMARLA Y...

¡NO! ¡NO ME ESTÁS **ESCUCHANDO**! ¡QUIERO IR AL CAMPAMENTO DE BALLET!

PERO... ¿CÓMO VOY A HACERLO SIN TI?

ASTRID, LO SIENTO. ES QUE...

¡NICKY!

¿SABES QUÉ? ¡HA DICHO TU MADRE QUE NOS VA A LLEVAR AL CENTRO COMERCIAL! ¡DICE MINDY QUE ADAM Y KEITH ESTÁN ALLÍ!

¿HAS INVITADO A **RACHEL** A TU CASA?

HOLA, ASTRID. ¿VAS A COMBATIR EN ALGUNA BATALLA O ALGO ASÍ?

SE LLAMA «MONTAR EN BICI», IDIOTA, ¿HAS OÍDO HABLAR DE ELLO ALGUNA VEZ?

BUEEENO, CALMA. OYE, NICKY, PODRÍAMOS COMPRARNOS UNAS MALLAS A JUEGO EN EL CENTRO COMERCIAL PARA EL **CAMPAMENTO DE BALLET**.

¿QUIERES..., QUIERES VENIRTE AL CENTRO COMERCIAL?

BRRRRR

NO ME PUEDO CREER QUE LA HAYAS INVITADO A VENIR. ¿QUÉ SE IBA A COMPRAR? ¿OTROS PANTALONES CORTOS FLOJOS?

ME ALEJÉ PEDALEANDO A TODA VELOCIDAD ANTES DE OÍR LA RESPUESTA DE NICOLE..., SI ES QUE LLEGÓ A CONTESTAR.

QUIZÁ SÍ **ESTABA** A PUNTO DE ENTRAR EN COMBATE... Y TODO INDICABA QUE IBA A HACERLO EN SOLITARIO.

CAPÍTULO · 5

UN HECHO NO AGRADABLE:
PREPARARSE PARA EL
CAMPAMENTO DE ROLLER DERBY
ES MUCHO MENOS DIVERTIDO
SIN TU MEJOR AMIGA.

JUNIO

POR FIN... LLEGÓ EL DÍA.

SLAM!

¡AHÍ VIENE
MI PATINADORA!
SUSPIRO SI HASTA
PARECES MAYOR...

LA MADRE DE NICOLE IRÁ A RECOGEROS, ¿NO?

QUERIDOS LECTORES, ME GUSTARÍA HACER UN BREVE INCISO. QUIZÁ OS SORPRENDA QUE NO LLEGARA A COMENTAR CIERTO DETALLITO SIN IMPORTANCIA CON MI MADRE, PERO ¿QUÉ HABRÍAS HECHO VOSOTROS EN MI LUGAR?

Pausa

«BUENO, LO CIERTO ES QUE MI MEJOR AMIGA ME HA DEJADO TIRADA POR UNA IMBÉCIL CON CARA DE RATA Y AHORA TENGO QUE ENFRENTARME A ESTO, EL DÍA MÁS ATERRADOR DE MI VIDA, MÁS SOLA QUE LA UNA.»

¿O QUIZÁ DIRÍAIS…?

UPS

¡SÍ, SÍ, CLARO! ¡TODO EN ORDEN! ¡TODO EN ORDEN!

DE TODOS MODOS, ¿PARA QUÉ ME SERVÍA NICOLE? ¿PARA QUE ME TRAJERAN A CASA? YA CONOCÍA EL CAMINO…

GLUPS

… CREO.

TE HE METIDO UN PLÁTANO Y UNAS PASAS PARA QUE COMAS ALGO.

YA LO SÉ.

TAMBIÉN TE HE METIDO 10 DÓLARES EN LA MOCHILA PARA IMPREVISTOS. DEBERÍAN DURARTE TODA LA SEMANA.

YA LO SÉ.

SI NECESITAS ALGO, LLÁMAME AL TRABAJO.

YA LO SÉ.

OH, NO.

Sede del Club Roller Derby Las Rosas

¿QUÉ? ¿PIENSAS QUEDARTE AHÍ TODO EL DÍA?

SOY HEIDI ESCONDITE, UNA DE TUS ENTRENADORAS.

YO SOY ASTRID.

¿ASTRID VÁSQUEZ? SÍ, ESTÁS EN MI LISTA. VAS A ALQUILAR EL MATERIAL, ¿VERDAD? VE A ESE CAJÓN Y AGÉNCIATE LO QUE TE HAGA FALTA.

ESTOOOO... PERDONA, HEIDI...

ESTE ES EL CAMPAMENTO DE ROLLER DERBY **JUNIOR**, ¿NO?

¡JA, JA! NO TE PREOCUPES. **SE CREEN** MUY MAYORES.

TODAS LAS DEMÁS PARECÍAN ADULTAS.

PIERCINGS	PELO TEÑIDO	MAQUILLAJE	...Y OTRAS COSAS.

¿DÓNDE ESTABAN LAS OTRAS **NIÑAS**?

FUI A POR EL EQUIPAMIENTO.

UF. HUELE QUE APESTA.

Coderas

Rodilleras

Muñequeras

ENCONTRÉ UN PAR DE PATINES QUE ME QUEDABAN MÁS O MENOS BIEN... SI ME PONÍA DOS CALCETINES EN CADA PIE.

ME SENTÉ JUNTO A LA ÚNICA NIÑA QUE ESTABA SOLA.

¡HOLA! ME LLAMO ZOEY.

YO, ASTRID.

ERES NUEVA EN ROLLER DERBY, ¿EH?

PUEDE... ¿POR QUÉ?

TE HAS COLOCADO LAS MUÑEQUERAS AL REVÉS.

¡OH!

¡PIIIIII!

¡TODAS AL CENTRO DE LA PISTA! MUY BIEN,

EJERCICIO UNO...

SHHHH

¡PSSST! ¿NO HAY UNA «SESIÓN DE PRESENTACIÓN»?

BIENVENIDA A PRIMERA DIVISIÓN.

¡LAS 50 VUELTAS ASESINAS!

¡¿LAS 50 VUELTAS **QUÉ**?!

QUIERO UNA FILA DETRÁS DE MÍ EN LA PISTA.

LAS MÁS RÁPIDAS DELANTE.

ASÍ QUE LA NUEVA ES RÁPIDA, ¿EH?

¿LISTAS? ¡VAMOS, CUANDO SUENE EL SILBATO ARRANCAMOS!

¡PIIIIII!

¡PLAF!

¡ARRIBA, ARRIBA! SI ERES **NUEVA**, POR FAVOR, PONTE A DAR VUELTAS EN LA ZONA EXTERIOR DE LA PISTA.

DESPUÉS DE LO QUE ME PARECIÓ UNA ETERNIDAD...

UNA... (UF) VUELTA (UF)...

¡50 VUELTAS! ¡BUEN TRABAJO, CHICAS!

¡VENGA, TODO EL MUNDO A BEBER AGUA!

TENDRÁS QUE TRABAJARTE UN POCO MÁS ESE NOMBRE DE GUERRA, «ASTRID A SECAS». BUENO, YA SÉ QUE MUCHAS DE VOSOTRAS LLEVÁIS TIEMPO PATINANDO CON LOS CAPULLITOS DE ROSA, PERO VAMOS A EMPEZAR CON MOVIMIENTOS BÁSICOS.

BRRRR

BRRRR

BRRRR

¿CUÁNDO EMPEZAMOS LOS **BLOQUEOS**?

GLUPS

EL PRIMERO... ¡CAÍDAS!

¡EH! ¡**CAÍDAS** SE ME DA BIEN!

ES MUY IMPORTANTE, PORQUE CUANDO PRACTIQUEMOS LOS BLOQUEOS, **TRENCITAS**, HAY QUE SABER CÓMO CAER DE FORMA SEGURA PARA EVITAR LESIONES.

UN PITIDO, UNA RODILLA EN TIERRA.

DOS PITIDOS, LAS DOS RODILLAS EN TIERRA.

TRES PITIDOS, CAÉIS HACIÉNDOOS UN OVILLO.

ESTO ES LO **MÁS IMPORTANTE**. CUANDO OS CAIGÁIS TRAS UN ENCONTRONAZO, ACURRUCAOS FORMANDO UNA BOLA PARA QUE NO OS PASEN POR ENCIMA.

¿TODAS PREPARADAS EN LA PISTA?

¡PIIIIIIII!

¡PIIIIIIIII, PIIIIIII!

¡PIIIIIIIII!

¡PIIIIIIIII, PIIIIIII!

¡PIIIIIIIII!

¡PIIIIIIIII!

¡PIIIIIIIII, PIIIIIII, PIIIIII!

¡PIIIIII

¡PIIIIIIIII, PIIIIIII, PIIIIII!

IIIIIIII!

¡PIIIIIIIII!

¡PIIIIIIIII, PIIIIIII!

¡PIIIIIIIII!

¡PIIIIIIIII!

¡PIIIIIIIII, PIIIIIII, PIIIIII!

MUY BIEN, CREO QUE ES SUFICIENTE COMO CALENTAMIENTO.

¿¡CALENTAMIENTO!?

¡SIGUIENTE EJERCICIO! TODAS EN FILA DETRÁS DE NAPOLEÓN.

¡NUNCA HE ESTADO TAN CANSADA EN MI VIDA! ¿¡CÓMO VOY A SER CAPAZ DE SOBREVIVIR DOS HORAS MÁS A ESTE RITMO?!

EXCEPTO TÚ, ASTRID. VEN CONMIGO.

LO QUE QUIERO QUE PRACTIQUES **TÚ** AHORA SON LOS **CRUZADOS**.

LOS CRUZADOS SON LO QUE TE PERMITE PATINAR RÁPIDO EN LAS ESQUINAS.

EMPIEZAS CON LOS PIES EN PARALELO...

...Y LUEGO ¡LOS CRUZAS!

PLAF

¡NO TE PREOCUPES! ¡INTÉNTALO DE NUEVO!

ARRIBA... Y...

¡... CRUZA!

PLAF

SI PENSABAN QUE CAEROS UNA Y OTRA VEZ ES «DIVERTIDO»...

PLAF

PLAF

PLAF

PLAF

PLAF

PLAF

... PERMITIDME QUE OS SAQUE DE DUDAS. NO LO ES.

NECESITO UN DESCANSO. ESTOY AGOTADA.

...OK.

TENGO DERECHO A **DESCANSAR** SI LO NECESITO. NO SOY UNA **MÁQUINA**.

NO ES **MI** CULPA QUE LAS DEMÁS SEAN MAYORES QUE YO... Y MEJORES QUE YO.

¿CÓMO ES POSIBLE QUE TODO EL MUNDO YA SEPA HACER ESTAS COSAS? ¿NICOLE Y EL RESTO DE HABITANTES DEL PLANETA FUERON A ALGÚN CURSO SECRETO DE INICIACIÓN AL PATINAJE MIENTRAS A MÍ ME LLEVABAN A RASTRAS A UN MUSEO?

ESTA CHICA, ZOEY, TAMBIÉN PASABA ALGÚN APURO, PERO INCLUSO ELLA PARECÍA ESTAR A AÑOS LUZ DE MI NIVEL.

¡PIIIIII!

¡LO HABÉIS HECHO MUY BIEN! AHORA BEBED AGUA, LUEGO OS EXPLICARÉ EL TERCER EJERCICIO.

TÚ TAMBIÉN, ASTRID, ARRIBA. ESTE LO PUEDE HACER CUALQUIERA.

GRUÑIDO.

BIEN, VAMOS CON UN EJERCICIO DE RESISTENCIA. TRABAJAREMOS VUESTRA FUERZA Y AGUANTE. ¡SE SUPONE QUE ESTE ES DURO!

SUENA MAL.

VAMOS A HACER EL **CARRITO**. BUSCAD UNA PAREJA Y APOYAD LAS MANOS EN SU ZONA DORSAL. VAIS A EMPUJARLA ALREDEDOR DE LA PISTA, ASÍ. ¿ENTENDIDO? UN MINUTO, Y LUEGO CAMBIÁIS DE POSICIÓN.

¿TODAS TENÉIS PAREJA?

SIENTO QUE HAYAS TENIDO QUE PONERTE CONMIGO. ESTO NO SE ME VA A DAR MUY BIEN.

ESTO NO SE LE DA BIEN A **NADIE**. ES UNA TORTURA.

EL MINUTO EMPIEZA... ¡AHORA!

TIENES QUE **EMPUJARME**... COMO HACIA UN LADO.

¡PIIIIIII!

ESO HAGO. (UFFF)

¡O **INTENTO!** (AINS)

¡BIEN, ASÍ! ¡NOS MOVEMOS!

QUÉ VERGÜENZA. NO SOY CAPAZ DE PATINAR NI SIQUIERA APOYÁNDOME EN OTRA PERSONA.

¿SE HA OLVIDADO DE CRONOMETRAR? YA DEBEMOS DE LLEVAR 3 MINUTOS, O 4...

¡TREINTA SEGUNDOS!

¡¿SOLO TREINTA SEGUNDOS?! PARECE QUE LLEVAMOS UNA ETERNIDAD PATINANDO.

QUÉ. CANSADA. ESTOY. YA. NO. PUEDO. MOVER. LAS. PIERNAS...

POR FIN, **POR FIN**...

¡UN MINUTO! ¡CAMBIAD DE POSICIÓN!

YYYYYYY... ¡YA!

¡PIIIIII!

¡NO CREÍ QUE ZOEY FUERA TAN RÁPIDA, PERO SALIÓ DISPARADA COMO UN COHETE!

¡AY! ¡EEEH! ¡FRENA! ¡FRENA!

¡VALE! ¡LO SIENTO! ¡ES LO QUE INTENTO!

¡NO SÉ GIRAR! ¡NO SÉ GIRAR!

¡AAAAAAHHH!

¿ESTÁS BIEN, ASTRID?

¡PIIIIIIIII!

PERDONA, NO CREÍ QUE FUESE TAN DEPRISA.

TODO EL MUNDO SE QUEDÓ MIRÁNDOME EN SILENCIO. ME TEMBLABAN LAS PIERNAS, ME SANGRABAN LOS NUDILLOS Y ESTABA CLARÍSIMO QUE ERA UNA TOTAL Y ABSOLUTA INÚTIL PARA PATINAR. SOLO ME QUEDABA UNA COSA POR DECIR...

¡BUUUUUAAAA!

HEIDI ME QUITÓ LOS PATINES Y EL CASCO, Y ZOEY ME TRAJO HIELO. PASÉ EL RESTO DEL ENTRENAMIENTO SENTADA EN LA GRADA, SINTIÉNDOME COMPLETAMENTE IDIOTA.

SI NICOLE ESTUVIERA AQUÍ, AHORA ESTARÍA SENTADA A MI LADO, AYUDÁNDOME A SENTIRME MEJOR E INTENTANDO HACERME REÍR.

AL FIN SE ACABÓ EL ENTRENAMIENTO.

¡BUEN TRABAJO, CHICAS! ¡MAÑANA EN EL MISMO SITIO, A LA MISMA HORA!

ASTRID, ESPERA.

SÉ QUE HA SIDO DURO PARA SER TU PRIMER DÍA. RECUERDA, MUCHAS DE ESTAS CHICAS LLEVAN YA 5 O 6 MESES ENTRENANDO CON LOS CAPULLITOS. MEJORARÁS, TE LO PROMETO.

ASTRID, ¿TE ENCUENTRAS MEJOR? LO SIENTO, DE VERDAD...

PASÉ DE LARGO JUNTO A ZOEY, REZONGANDO ALGO PARECIDO A "SDHJGNTRDZM". FUI UNA MALEDUCADA, LO SÉ, PERO ES QUE CUANDO EMPIEZAN A ASOMAR LAS LÁGRIMAS NO LAS PUEDO CONTENER.

SOLO QUERÍA LLEGAR A CASA, METERME EN LA CAMA Y NO VOLVER A LEVANTARME.

30 MINUTOS DESPUÉS HABÍA CAMBIADO MIS DESEOS, LO ÚNICO QUE QUERÍA ERA **LLEGAR A CASA**.

ESTOY **CASI** SEGURA DE QUE ES ESTA CALLE...

ESA CASA ME SUENA...

ES CURIOSO CÓMO UN DÍA NORMAL Y SOLEADO PUEDE CONVERTIRSE EN UN «ABRASADOR DESIERTO DEL SÁHARA» CON **TANTA** RAPIDEZ.

A ESO AÑADIMOS LO QUE ME DOLÍAN LOS MÚSCULOS Y LAS AMPOLLAS QUE ME HABÍAN SALIDO EN LOS PIES, Y ENSEGUIDA ME SENTÍ COMO LAWRENCE DE ARABIA*.

*TARDE DE ENRIQUECIMIENTO CULTURAL, MÁS O MENOS EN 4° DE PRIMARIA. NO LA RECOMIENDO.

CON ESPEJISMOS INCLUIDOS...

¿AGUA? ¿AGUA?

¡CIVILIZACIÓN!

¡AAAAAAAAAHHH!

LA BRISA REFRESCANTE DEL AIRE ACONDICIONADO, EL DULCE, DULCE OLOR A CHICLE Y A CARAMELOS...

UTILICÉ MI DINERO PARA EMERGENCIAS, PORQUE INDUDABLEMENTE AQUELLO CONTABA COMO EMERGENCIA.

¡CARAMBA! DEBÍAS DE TENER MUCHA SED.

NO LO SABE USTED BIEN.

POR LO MENOS AHORA YA SABÍA DÓNDE ESTABA.

NO ME ACORDABA DE ESTA AUTOVÍA...

SOLO ME QUEDABA SUBIR UNA CUESTA DE INFARTO...

... Y YA ESTABA EN CASA.

(MUAKS)

RECUERDO QUE ENTRÉ EN LA SALA DANDO TUMBOS Y DESPUÉS...

... NADA.

¿ASTRID?

ASTRID, CARIÑO, DESPIERTA. ¡ES HORA DE CENAR!

¡HE TRAÍDO COMIDA TAILANDESA PARA CELEBRAR TU PRIMER DÍA DE CAMPAMENTO!

¡CUÉNTAMELO TODO, ANDA! ¿QUÉ TAL? ¿HAS HECHO NUEVAS AMIGAS? ¿TE LO HAS PASADO BIEN?

ARRASTRE DE PIES

¿POR QUÉ ANDAS TAN RARO?

¡OYE, ASTRID, ESOS MODALES!

ÑAM

A VER, ¿QUÉ TAL?

MAMÁ, UNA PREGUNTA... SOLO POR CURIOSIDAD... ¿CUÁL ES LA POLÍTICA DE DEVOLUCIÓN DEL DINERO QUE HAS PAGADO POR EL CAMPAMENTO?

OH, CARIÑO... ¿TAL MAL TE HA IDO? ¿TAN ODIOSO HA SIDO?

HA SIDO **ODIOSO**, PERO...

¿Y QUÉ LE PARECIÓ A NICOLE? QUIZÁ DEBERÍA HABLAR CON SU MADRE PARA VER QUÉ OPINA ELLA.

¡NO! ¡SOLO **ME LO PREGUNTABA** POR CURIOSIDAD! NICOLE Y YO NOS LO PASAMOS GENIAL. PERO GENIAL.

Y AHORA, SI NO TE IMPORTA, ESTOY LLENA, Y CREO QUE ME VOY A TUMBAR UN RATO SI NO TE PARECE MAL, MAMI QUERIDA.

?

LO ÚLTIMO QUE RECUERDO ANTES DE CAER RENDIDA FUE LA CARA EMBAUCADORA DE DENTELLADA DE ARCOÍRIS, QUE NO ME QUITABA OJO.

ROLLER DERBY

GRACIAS, DENTELLADA DE ARCOÍRIS, MUCHAS GRACIAS. ESTO... ZZZZZZZZZZZZZZZZ

CAPÍTULO 6

EL SEGUNDO DÍA ME SENTÍA AÚN MÁS NERVIOSA, SI CABE. AHORA TODAS **SABÍAN** QUE ERA UNA PRINGADA.

¡HAS VUELTO! HUBO ALGUNAS CHICAS QUE DIJERON QUE NO, PERO YO SABÍA QUE VENDRÍAS. ¿CÓMO TE ENCUENTRAS?

PUES..., BIEN.

ESCUCHA, TODO EL MUNDO LO PASA MAL EL PRIMER DÍA. ES COMO UN RITO DE INICIACIÓN.

¿TODO EL MUNDO **LLORA** EL PRIMER DÍA?

YO LLORÉ LA PRIMERA **SEMANA** ENTERA.

¡YO TAMBIÉN!

¡Y YO!

YO HASTA VOMITÉ EL PRIMER DÍA DURANTE LAS 50 VUELTAS ASESINAS. Y ADEMÁS, EN PLENA PISTA, PORQUE NO ME DIO TIEMPO A SALIR.

¡LO RECUERDO! ¡NOS **PARTÍAMOS** DE RISA!

TOMA, TE HE TRAÍDO UN REGALO PARA QUE ME PERDONES POR TIRARTE CONTRA LAS GRADAS. POR SI TE PONES FURIOSA Y ME DEMANDAS Y PIERDO HASTA LAS MUELAS DEL JUICIO.

YO NUNCA LO HARÍA.

Y SEGURO QUE AÚN NO TE HAN SALIDO LAS MUELAS DEL JUICIO.

¡JA, JA, JA! ¡MUY BUENO!

HUMM, ZOEY... ¿QUÉ ES ESTO?

UNA PEGATINA DE HUGH JACKMAN CON PURPURINA EN EL PELO HECHA A MANO, EVIDENTEMENTE.

¡PIIIIII!

(SUSPIRO) VUELTA A EMPEZAR...

ME GUSTARÍA PODER DECIROS QUE ME ESFORCÉ MUCHÍSIMO Y QUE PATINÉ MEJOR, PERO SEGUÍA SIENDO UN DESASTRE. PARA MÍ, CADA EJERCICIO SE CONVIRTIÓ EN UN EJERCICIO DE CAÍDA.

CRUZADOS...

... FRENO EN CUÑA...

... PATINAMOS HACIA ATRÁS.

¡PLAF!

¡PLAF!

¡PLAF!

¡RECUERDA, SI TE CAES, HAZTE UN OVILLO!

CADA TARDE, PONÍA EL BROCHE DE ORO A MI MARAVILLOSO DÍA CON UNA CAMINATA DE UNA HORA BAJO UN SOL ABRASADOR.

ANTES DE LAS 7 DE LA TARDE ME QUEDABA DORMIDA, AUNQUE ME DESPERTABA EL DOLOR DE LOS MORETONES.

¡AY!

EL JUEVES, DESPUÉS DE OTRO GLORIOSO DÍA DE CAÍDAS,

¡AY!

IBA A DEVOLVER EL MATERIAL CUANDO LA VI.

¡HE PUESTO LA CAJA DEL MATERIAL JUNTO A LAS TAQUILLAS!

¡HALA!

¿DE VERDAD ERA SU TAQUILLA?

Dentellada de Arcoíris

¡ASTRID!

¡YO NO HE SIDO! ¡YO NO...!

RELÁJATE, CHICA. SOLO IBA A DECIRTE QUE AYER TE VI VOLVER ANDANDO A CASA.

AH, BUENO, PERO VIVO MUY CERCA, NO ES PARA TANTO.

YA SABES QUE PUEDES LLEVARTE LOS PATINES A CASA PARA PRACTICAR POR LA NOCHE. PUEDES INCLUSO VOLVER PATINANDO. PATINAR AL AIRE LIBRE ES UN ENTRENAMIENTO BUENÍSIMO.

NO ME PARECE LO MÁS PRUDENTE. YA ME HAS VISTO PATINAR AQUÍ. PROBABLEMENTE NO HABRÍA RECORRIDO NI UNA MANZANA ANTES DE QUE ME ATROPELLARA UN CAMIÓN DE 18 RUEDAS.

MMMM. DÉJAME PENSARLO. YA VOLVEREMOS A HABLAR DEL ASUNTO.

TENÍA LA MIRADA PERDIDA, COMO CUANDO MAMÁ ESTÁ IDEANDO UN NUEVO Y MALÉVOLO PLAN PARA DESTROZARME LA VIDA. SE AVECINABAN PROBLEMAS.

¡VALE, TÚ SIGUE PENSANDO, HEIDI! ¡HASTA LUEGO!

SALÍ DE ALLÍ TODO LO RÁPIDO QUE ME PERMITIERON MIS PIERNAS DESTROZADAS Y MEDIO MUERTAS.

CAPÍTULO · 7

NO TUVE QUE ESPERAR MUCHO HASTA QUE HEIDI DESVELÓ SU PLAN MALÉVOLO.

¡HOY VAMOS A HACER ALGO DISTINTO! VENID A ECHAROS PROTECTOR SOLAR...

¡VAMOS A PATINAR AL AIRE LIBRE!

¡HABRÁ POR LO MENOS CUARENTA GRADOS AHÍ FUERA!

¡ME VOY A ASAR!

OH, VAMOS, NADIE SE VA A MORIR.

NO ESTOY YO TAN SEGURA...

HAY UN CARRIL BICI QUE DISCURRE PARALELO AL RÍO. PARA LLEGAR, ATRAVESAREMOS EL PARQUE DE ATRACCIONES.

¿JUEGAS AL ROLLER DERBY?

EEEH... SÍ.

¡HALA! ¿HAS OÍDO, MAMÁ? ¡JUEGA AL **ROLLER DERBY**!

MENOS MAL QUE HE CRUZADO EL SÁHARA TODOS LOS DÍAS. POR LO MENOS, ESTOY PREPARADA PARA EL CALOR, Y CON LAS QUEJAS Y PARADAS DE TODAS PARA BEBER AGUA CASI SOY CAPAZ DE MANTENER EL RITMO DE LAS DEMÁS.

LLEGADOS A ESTE PUNTO DE LA HISTORIA, DEBERÍA MENCIONAROS UN PEQUEÑO DETALLE SOBRE MI NIVEL DE PATINAJE...

MUY BIEN, ATENTAS TODAS: HEMOS LLEGADO A LA PRIMERA CUESTA. LA CLAVE PARA BAJAR UNA CUESTA ES EL FRENO EN CUÑA. EMPEZAREMOS DESPACIO. YO IRÉ DELANTE PARA ENSEÑÁROSLO.

... Y ESE PEQUEÑO DETALLE ES...

... QUE NO SOY MUY BUENA FRENANDO.

¡¡¡AAAAAAAAAHHH!!!

¡AGÁCHATE!

¡FRENO EN CUÑAAA!

¡PLAF!

¡ASTRID!

¿ESTÁS BIEN?

¡CAÍ HECHA UN OVILLO!

¡POR DIOS, QUÉ LOCURA!

¡HA SIDO **INCREÍBLE**!

GRACIAS, ASTRID, POR CAUSARME EL INFARTO DEL DÍA.

PARAMOS A COMER UNOS POLOS EN UN PARQUE JUNTO AL RÍO.

¿QUIÉN IBA A PENSAR QUE ASTRID ERA ESE CRACK DE LA VELOCIDAD?

¡HA BAJADO LA CUESTA COMO SI FUERA EVEL KNIEVEL!

¡O DENTELLADA DE ARCOÍRIS!

YO ME LIMITÉ A TOMARME EL POLO, Y ME SENTÍ MÁS FELIZ QUE EN MUCHAS SEMANAS.

ESTUVE DE BUEN HUMOR TODO EL ENTRENAMIENTO.

¡ME **VOY A LLEVAR** LOS PATINES PARA ENTRENAR EL FINDE!

¡PERFECTO!

Dentellada de Arcoíris

QUIZÁ FUE LA FELICIDAD TRAS UN BUEN DÍA DE ENTRENAMIENTO, O QUIZÁ ME DIO UN GOLPE DE CALOR. FUERA LO QUE FUERA, DE PRONTO SE ME OCURRIÓ UNA IDEA DE LOCOS.

Dentellada de Arcoíris

Querida Dentellada
de Arcoíris:

Creo que eres la mejor
patinadora que ha rodado
sobre el planeta. Eres
increíble. Espero llegar a
patinar como tú algún día.

Con cariño,

Un Barullito de Rosa

ME SENTÍ MUY ORGULLOSA DE MÍ MISMA POR ESE JUEGO DE PALABRAS DE BARULLITO-CAPULLITO DE ROSA QUE SE ME HABÍA OCURRIDO.

¿VAS PATINANDO A CASA? ¡QUÉ GUAAAAAAY! ¡YO QUIERO INTENTARLO! ¡QUE PASES UN BUEN FIN DE SEMANA, EVEL KNIEVEL!

¡Y TÚ!

¡IR PATINANDO A CASA SUPUSO AHORRARME TREINTA MINUTOS! NI SIQUIERA ME HIZO FALTA PARAR PARA AVITUALLAMIENTO DE EMERGENCIA.

Y ADEMÁS, YA ME HABÍA GASTADO MIS 10 DÓLARES SEMANALES.

¡FUE DIVERTIDÍSIMO TENER LOS PATINES EL FIN DE SEMANA! PRACTIQUÉ MI

FRENADA EN T,

FRENADA EN CUÑA

Y HASTA FRENADAS CON TRANSICIÓN (GRACIAS AL SOFÁ).

CAPÍTULO 8

LO CREÁIS O NO, LO CIERTO ES QUE CUANDO LLEGÓ EL LUNES POR LA MAÑANA ESTABA DESEANDO VOLVER AL CAMPAMENTO.

¡BUENOS DÍAS, MAMÁ, EN ESTA RADIANTE Y PRECIOSA MAÑANA! ¿ESTÁS LISTA PARA SALIR?

¡BUENOS DÍAS, CARIÑO!

¡PUAAJJJ!, ¿QUÉ ES ESA PESTE?

¡ES TU CAMISETA! ¿LA HAS GUARDADO EN EL CUBO DE LA BASURA TODO EL FIN DE SEMANA?

¡NO! ¡ESTABA EN MI CUARTO!

EQUIPACIÓN SUDADA

CALCETINES SUCIOS

CAMISETA

¡TAMPOCO HUELE **TAN** MAL!

¡CLARO QUE SÍ! ESCUCHA, A VECES LA GENTE ES MUY CRUEL EN EL INSTITUTO, SOBRE TODO SI ALGUIEN HUELE A SUDOR. LO QUE ME RECUERDA QUE TÚ TAMBIÉN TIENES QUE EMPEZAR A USAR DESODORANTE.

¡MAMÁÁÁÁÁÁÁ!

ME LO AGRADECERÁS, TE LO ASEGURO. VE A PONERTE UNA CAMISETA LIMPIA.

¡NO **TENGO** NINGUNA CAMISETA LIMPIA!

ESO NO ES CULPA MÍA. SI NO ESTÁ EN LA CESTA DE LA ROPA SUCIA, NO SE LAVA. Y ADEMÁS TIENES UNA BOLSA LLENA DE ROPA QUE TRAJO LA SEÑORA KEMP LA SEMANA PASADA. NO HE VISTO QUE TE HAYAS PUESTO **NADA** DE LO QUE TE DIO.

YA, PORQUE NO TENGO TRES AÑOS NI SOY DALTÓNICA.

TE ESPERO EN EL COCHE. TE DOY CINCO MINUTOS.

GRUÑIDO

LA SEÑORA KEMP ERA COMPAÑERA DE TRABAJO DE MI MADRE. CREÍA QUE NOS HACÍA UN FAVOR AL PASARNOS LA ROPA QUE LE IBA QUEDANDO PEQUEÑA A SU HIJA BRITTNEY.

SEGÚN TODAS LAS FUENTES, BRITTNEY TENÍA 13 AÑOS. NO ME LO CREO.

EN SERIO, ¿QUIÉN SE PONE ESTO A LOS 13 AÑOS?

ME NIEGO A LLEVAR NADA ROSA, ASÍ QUE ESO DESCARTABA EL 98% DE LAS COSAS.

POR FIN OPTÉ POR UN ESTILOSO*
CONJUNTO PARA EL DÍA
DE SAN PATRICIO.

¡PIII,
PIIIIIII!

*ES BROMA

¡MIRA QUÉ MONO! Y QUÉ AGRADABLE
VERTE LLEVAR ALGO DE COLOR
POR UNA VEZ.

GRUÑIDO

ESTE AÑO QUIERO EMPEZAR PRONTO
A HACER LAS COMPRAS PARA EL
INSTITUTO, PORQUE SÉ LO QUE ES
LLEVARTE DE COMPRAS. EL CAMBIO
AL INSTITUTO ES UN PASO MUY
IMPORTANTE Y LLEVO ALGÚN TIEMPO
AHORRANDO PARA COMPRARTE
ROPA BONITA.

QUÉ BIEN.

EN MI LISTA DE COSAS DIVERTIDAS
DE LA VIDA, SALIR A COMPRAR ROPA
ESTABA CASI EN EL ÚLTIMO PUESTO.

* Ir a
ponerme
empastes.

* Quedar atrapada en
un ascensor con Rachel.

* Salir a comprar ropa.

* Muerte
por ataque
de tiburón.

EL MOTIVO POR EL CUAL LA GENTE
DISFRUTA PROBÁNDOSE UN MILLÓN
DE PRENDAS EN UN PROBADOR
SOFOCANTE ESCAPA A MI CAPACIDAD
DE ENTENDIMIENTO.

TE QUIERO. TOMA ESTOS 10 DÓLARES. DEBERÍAN DURARTE TODA LA SEMANA.

GRUÑIDO – GRACIAS.

Y UNA COSA MÁS...

¡DESABROCHAR!

¡EH!

NO PUEDES ENGAÑAR A TU MADRE. TE CONOZCO DEMASIADO BIEN. Y AHORA SAL DEL COCHE.

ROSE CITY Rollers

MARCADOR: MAMÁ: 1 YO: 0

¿RECORDÁIS LO QUE OS DIJE SOBRE LAS GANAS QUE TENÍA DE VOLVER AL CAMPAMENTO?

¡VIVA IRLANDA!

¡ME HAS ROBADO MI AMULETO DE LA SUERTE!

NO SÉ QUÉ FUE —QUIZÁ TUVIERA ALGO QUE VER CON LA SUERTE DE LOS IRLANDESES— LO QUE ME HIZO VOLVERME HACIA LA TAQUILLA DE DENTELLADA DE ARCOÍRIS.

¿ERA...?

Para Barullito de Rosa.

Mantente en tu puesto y repite conmigo: Más firme. Más fuerte. ¡Sin miedo!

Firmado, Dentellada de Arcoíris

¡QUIZÁ MI SUERTE ESTABA EMPEZANDO A CAMBIAR!

¡PIIIIII! ¡PIIIIII!

MUY BIEN, SEÑORITAS, ¡ATENTAS! ESTE FIN DE SEMANA HE RECIBIDO NOTICIAS MUY INTERESANTES. COMO ALGUNAS YA SABRÉIS, LAS ROSAS DE PORTLAND JUEGAN UN PARTIDO CONTRA EL SEATTLE EL MES QUE VIENE.

BUENO, PUES A LOS DOS EQUIPOS LES GUSTARÍA QUE LOS CAPULLITOS JUGARAN UN MINIENCUENTRO EN EL DESCANSO. DESPERTARÁ INTERÉS HACIA LAS CATEGORÍAS INFERIORES Y AYUDARÁ A QUE SE APUNTEN NUEVAS JUGADORAS. ¿QUÉ DECÍS?

¡GENIAL!

¡HAAALA!, ¿EN SERIO?

NO SERÁ COMO LOS OTROS PARTIDOS QUE HABÉIS DISPUTADO. SOLO DURARÁ MEDIA HORA Y SOLO HABRÁ OCHO JUGADORAS POR EQUIPO.

DENTRO DE UNA O DOS SEMANAS OS DIVIDIREMOS EN DOS EQUIPOS. QUEREMOS QUE JUGUÉIS TODAS, PERO EN EL CASO DE ALGUNA DE LAS NUEVAS PATINADORAS...

... TENDREMOS QUE EVALUAR VUESTRAS HABILIDADES PARA ESTAR SEGURAS DE QUE NO CORRÁIS RIESGOS EN LA PISTA.

¡OH, DIOS MÍO! ¡¡UN PARTIDO REAL!!

TENIENDO EN CUENTA LO QUE ACABO DE DECIROS, HOY VAMOS A EMPEZAR A TRABAJAR ALGUNAS ESTRATEGIAS DE JUEGO Y ESO SIGNIFICA...

¡BLOQUEOS!

VENGA, TODO EL MUNDO A LA PISTA. EMPEZAD A CALENTAR.

ASTRID...

NAPOLEÓN Y YO HEMOS ESTADO HABLANDO. PARA SERTE SINCERA, NO ESTAMOS SEGURAS DE SI ESTARÁS PREPARADA PARA JUGAR ESE PARTIDO. TENDREMOS QUE VER TUS PROGRESOS DURANTE ESTAS SEMANAS Y DESPUÉS TOMAREMOS UNA DECISIÓN.

¡AJÁ!

NO PODEMOS DEJAR QUE TÚ NI NADIE CORRÁIS EL RIESGO DE LESIONAROS, ASÍ QUE EN ESTA OCASIÓN QUIZÁ NO ESTÉS PREPARADA.

¡AJÁ!

PERO SI NO ESTUVIERAS PREPARADA, NO TE PREOCUPES, SIGUE PATINANDO CON LOS CAPULLITOS Y TENDRÁS OTRAS MUCHAS OPORTUNIDADES DE JUGAR, ¿DE ACUERDO? ¿ENTIENDES POR QUÉ TE LO DIGO?

¡AJÁ!

¡VOY A JUGAR MI PRIMER PARTIDILLO!

MUY BIEN, CUANDO TERMINÉIS EL CALENTAMIENTO, PONEOS POR PAREJAS CON QUIEN TENGÁIS MÁS CERCA.

VAMOS A HACER VARIOS EJERCICIOS DE BLOQUEO.

EMPEZAMOS DE PIE. FLEXIONAMOS LAS RODILLAS EN POSTURA BÁSICA, NOS MANTENEMOS PEGADAS A NUESTRA COMPAÑERA Y...

...¡**GOLPEAMOS** CON LA CADERA HACIA UN LADO! ES EL BLOQUEO BÁSICO DE CADERA.

NADA DE CODAZOS, PISOTONES NI GOLPES EN LA CABEZA. SON ILEGALES Y OS MANDARÁN A LA CAJA DE PENALIZACIÓN.

ME TOCA CONTIGO, MEQUETREFE.

MÁS FIRME. MÁS FUERTE.

SIN MIEDO.

SI REPETÍS ESA ESCENA EN VUESTRA MENTE UNA Y OTRA VEZ DURANTE MÁS O MENOS DOS HORAS, OS HARÉIS UNA IDEA DE CÓMO TRANSCURRIÓ MI MAÑANA.

¡PIIIIII! ¡PIIIIII!

¡BUEN TRABAJO, CHICAS! OS HE VISTO GENIAL. COMO LO HABÉIS HECHO TAN BIEN, HOY VAMOS A TERMINAR CON UN JUEGO...

¡... LA ÚLTIMA SUPERVIVIENTE!

¡SÍ!

?

¡BIEN!

PARA LAS QUE NUNCA HAN JUGADO, ES MUY SENCILLO. EMPEZÁIS A PATINAR POR LA PISTA. LA QUE SE CAIGA O SEA EXPULSADA DE LA PISTA POR OTRA COMPAÑERA QUEDA ELIMINADA. GANA LA ÚLTIMA QUE SIGA EN PIE.

TODOS LOS BLOQUEOS TIENEN QUE SER LEGALES O SERÉIS ENVIADAS A LA CAJA DE PENALIZACIÓN.

MUY BIEN, YA SÉ QUE NO HA SIDO MI MEJOR DÍA EN CUANTO A BLOQUEOS, PERO PODRÍA COMPENSARLO. SI ACABA COMO ÚLTIMA SUPERVIVIENTE, LAS ENTRENADORAS **VERÍAN** QUE PODRÍA CONSEGUIRLO...

¡ZAS!

¡ASTRID, ELIMINADA!

... O QUE PODRÍA SER LA PRIMERA ELIMINADA.

¿CÓMO LO HACÍAN ESAS CHICAS? PARECÍAN TAN SEGURAS, TAN AGRESIVAS... Y AHÍ ESTABA YO, LA PRIMERA EN SENTARSE EN EL BANQUILLO, CON CARA DE DUENDE PASMADO.

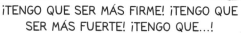

¡TENGO QUE SER MÁS FIRME! ¡TENGO QUE SER MÁS FUERTE! ¡TENGO QUE...!

...Y LA RESPUESTA SE ME VINO ENCIMA COMO UN CAMIÓN DE 18 RUEDAS. ¡ERA OBVIO!

¡TENGO QUE TEÑIRME EL PELO!

DI EL PRIMER PASO AL TERMINAR EL ENTRENAMIENTO.

ZOEY, ¿PUEDO HACERTE UNA PREGUNTA? ¿CÓMO...? ¿QUÉ USAS PARA...?

¿CÓMO TE TIÑES EL PELO?

OOOH, ¿TE VAS A TEÑIR EL PELO? ¿DE QUÉ COLOR?

NO LO SÉ. SOLO ME LO ESTOY PENSANDO.

¡DIOS MÍO, PERO SI SOY LA **REINA** DE LOS TINTES! ¡POR FAVOR, DÉJAME TEÑÍRTELO! ¿TIENES ALGO QUE HACER HOY? ¡VEN A MI CASA Y LO HAREMOS HOY MISMO!

¿CÓMO, AHORA MISMO?

MÁS FIRME. MÁS FUERTE. ¡SIN MIEDO!

¡VALE!

¡**BIEN!** VAS PATINANDO A CASA, ¿NO? ¡HOY YO TAMBIÉN VOY A IR PATINANDO! NO TE PREOCUPES, NO VIVO TAN LEJOS. PUEDES LLAMAR A TU MADRE DESDE MI CASA.

SÉ QUE OS PARECERÁ EXTRAÑO, PERO NO RECORDABA CUÁNDO HABÍA IDO A CASA DE OTRA PERSONA QUE NO FUERA NICOLE.

TAMBIÉN OS PARECERÁ EXTRAÑO, PERO ME PUSE NERVIOSÍSIMA. CUANDO ESTABA CON NICOLE, NO TENÍA QUE PREOCUPARME POR LOS TEMAS DE CONVERSACIÓN. ZOEY ERA TAN SIMPÁTICA Y POPULAR... ¿QUÉ INTERÉS PODÍA TENER EN PASAR MÁS TIEMPO CONMIGO? ¿DE QUÉ ÍBAMOS A HABLAR?

POR SUERTE, ZOEY LLEVÓ CASI TODO EL PESO DE LA CONVERSACIÓN.

¿TE HACE ILUSIÓN LO DEL PARTIDILLO? ¡NO ME LO PUEDO CREER! ESPERO PODER JUGAR.

LLEVO MÁS O MENOS TRES MESES ENTRENANDO CON LOS CAPULLITOS, PERO NO PATINO DEL TODO BIEN Y AÚN NO HE JUGADO NINGÚN PARTIDO.

LAS ENTRENADORAS DICEN QUE TENGO QUE ESFORZARME MÁS, PERO DURANTE EL CURSO VOY A TEATRO Y A MÁS COSAS. NO ES QUE NUNCA VAYA A LLEGAR A SER TAN BUENA COMO HEIDI ESCONDITE O NAPOLEÓN CORTAPARTES O...

¿O DENTELLADA DE ARCOÍRIS?

DIOS MÍO, ES IN-CRE-Í-BLE, ¿A QUE SÍ? ¡MI FAVORITA, SIN DUDA!

SEGUIMOS PATINANDO OTRO RATITO. NUNCA HABÍA ESTADO EN AQUELLA ZONA DE LA CIUDAD.

VALE, PARADA IMPORTANTE. EL LUGAR MÁS MARAVILLOSO DEL MUNDO, EL LUGAR DONDE LOS SUEÑOS DE TODOS LOS ADOLESCENTES SE HACEN REALIDAD...

DROGUERÍA Greenwood

$3.49 $1.99

¡CARAMELOS! ¡REVISTAS! ¡CHANCLETAS! ¡GAFAS DE SOL ORIGINALES! ¡ESTE LUGAR ES UN PAÍS DE LAS MARAVILLAS MÁGICO!

Y, LO MÁS IMPORTANTE...

TINTES

A VER, NO QUEREMOS NADA QUE PONGA «NATURAL», «FÁCIL» O «SANO».

¿NI SIQUIERA «ÁMBAR ATRACTIVO CON ASPECTO NATURAL»?

¡NI HABLAR! ¡NI «RUBIO EXPLOSIVO»! TIPO «¡HOLIII, SOY UNA ANIMADORAAA!».

NO, ESTO ES LO QUE BUSCAMOS.

Shock Top

¡COLORES IMPACTANTES!

AHORA LA PREGUNTA ERA... ¿DE QUÉ COLOR?

¿TERROR ROJO?	¿AGENTE NARANJA?	¿TRAUMA TURQUESA?	¿ATAQUE VIOLETA?
¿BANDA VERDE?	¿FLAMENCO FLAMEANTE?	¿AGUJERO NEGRO?	¿TRUENO AZUL?

CREO... ¡CREO QUE TRUENO AZUL!

¡EXCELENTE ELECCIÓN! ¿CUÁNTO DINERO TIENES?

TENGO MIS 10 DÓLARES PARA EMERGENCIAS.

EL TINTE PARA EL PELO **SIEMPRE** ES UNA EMERGENCIA. YO TENGO 7 DÓLARES... NOS LLEGA PARA COMPRAR UN PAR DE COSAS QUE NOS HARÁN FALTA PARA ESTA IMPORTANTE TAREA.

SALVAVIDAS DE CARAMELO. ¡TAMBIÉN SON PARA EMERGENCIAS!

BUENO, ¿Y QUÉ VA A DECIR TU MADRE?

SI NO QUERÍA QUE ME TIÑESE EL PELO, NO DEBERÍA HABERME APUNTADO A ROLLER DERBY, PARA EMPEZAR.

¿NO LE IMPORTARÁ A TU MADRE QUE VENGA? ¿TE DEJA TRAER AMIGAS A CASA CUANDO ESTÁS SOLA?

OH, NO ESTAREMOS SOLAS. **YO NUNCA ESTOY SOLA.**

JADEO

JADEO

CUARTO
DE ZOEY

¡PORTAZO!

¿QUÉ... QUÉ ERA ESO?

BIENVENIDA A MI MUNDO. DARÍA CUALQUIER COSA POR SER HIJA ÚNICA. ESTO ES COMO VIVIR EN UNA RESERVA DE CHIMPANCÉS SALVAJES.

¡HALA, TU CUARTO ES FANTÁSTICO!

¡LA PARTE POSITIVA DE SER LA ÚNICA CHICA! TENGO TODO EL ÁTICO PARA MÍ SOLA. Y MI PROPIO CUARTO DE BAÑO.

MMM, **ESO** DA MIEDITO.

¿CÓMO TE ATREVES A INSULTAR A MI NOVIO? ¡NO LE HAGAS CASO, CARIÑO, ALGÚN DÍA HAREMOS PÚBLICO NUESTRO AMOR!

¿TU NOVIO ES LOBEZNO?

MI NOVIO ES HUGH JACKMAN EN *THE BOY FROM OZ*, PERO NO HACEN FIGURAS A TAMAÑO NATURAL, ASÍ QUE ME CONFORMO CON LO QUE PUEDO.

BUENO, VEAMOS QUÉ TENEMOS AQUÍ.

VACIAR

¡HALA!

ESO NO HACE FALTA PARA NADA. SÉ EXACTAMENTE LO QUE HAY QUE HACER.

AGARRAR

ADVERTENCIAS

INSTRUCCIONES DE USO

AHORA RELÁJATE, NO TE VA A DOLER NADA.

CHASQUIDO

BIEN. EL PRIMER PASO ES DECOLORAR, PORQUE TIENES EL PELO MUY OSCURO.

¿DECOLORAR? ¡NO HABLASTE PARA NADA DE **DECOLORAR**!

¡**TENEMOS** QUE HACERLO! SI NO, SERÍA UNA PÉRDIDA DE TIEMPO, ¡NO SE FIJARÍA EL TINTE! CONFÍA EN MÍ, ME LO HE HECHO CIENTOS DE VECES.

¿QUIERES TEÑÍRTELO TODO? ¿O SOLO ALGUNOS MECHONES?

MÁS FIRME. MÁS FUERTE. SIN MIEDO.

VENGA, TEÑIDO INTEGRAL, UN *FULL MONTY*.

¡*FULL MONTY* ES UN MUSICAL! ¡AÚN HAY ESPERANZAS DE SALVARTE!

TOMA, PONTE ESTA TOALLA POR LOS HOMBROS. ¿TE GUSTA MUCHO ESA CAMISETA? IGUAL SE TE ESTROPEA.

POR FAVOR, ESTROPÉAMELA.

¡ESPERA! ¿NO SE SUPONE QUE ANTES HAY QUE PROBARLO EN UN MECHÓN?

YA TE DIJE QUE NO LEYERAS LAS INSTRUCCIONES.

CÓMO HUELE, ME ESCUECEN LOS OJOS.

ES LO MÁS NORMAL DEL MUNDO. NO TE PREOCUPES.

AQUÍ DICE QUE EL PELO MUY OSCURO PUEDE TARDAR HASTA 60 MINUTOS EN DECOLORARSE.

VAMOS A VER UNA PELÍCULA QUE NOS INSPIRE MIENTRAS ESPERAMOS.

¡YA HE VISTO ESA PELÍCULA! MI MADRE ME OBLIGÓ A VERLA UNA TARDE DEDICADA AL PATRIMONIO CULTURAL PORTORRIQUEÑO.

O ALGO ASÍ.

WEST SIDE STORY

¿ERES DE PUERTO RICO?

MI MADRE. BUENO... EN REALIDAD, MIS ABUELOS.

CHIPS

¡¡QUÉ SUERTE!! ¡ENTONCES ERES COMO MARÍA! MI SUEÑO ES INTERPRETAR A ANITA EN BROADWAY ALGÚN DÍA.

TE ENCANTAN LOS MUSICALES, ¿EH?

SÍ. VOY A IR A NUEVA YORK A ESTUDIAR INTERPRETACIÓN MUSICAL CUANDO EMPIECE LA UNIVERSIDAD. Y ESTE AÑO ACTUÉ EN LA FUNCIÓN DEL INSTITUTO, *TOM SAWYER*. SOLO FORMABA PARTE DEL CORO, PERO TENÍA UNA FRASE: «¡A LAS CUEVAS!».

SOLO HUBO OTRA CHICA DE SEGUNDO QUE HIZO UNA PARTE HABLADA. EL SEÑOR BATT PREFIERE REPARTIR LA MAYOR PARTE DE LOS PAPELES ENTRE LOS DE 3° Y 4° DE LA ESO, ASÍ QUE CON UN POCO DE SUERTE ESTE AÑO TENDRÉ UN PAPEL MÁS LARGO.

ESTE ES EL PROGRAMA.

El Instituto Cedar Park PRESENTA

TOM SAWYER EL MUSICAL

NO SABÍA QUE *TOM SAWYER* ERA UN MUSICAL.

MIRA TOM SAWYER. BRAD RILEY. ¿A QUE ES GUAPÍSIMO? MIRA, ME FIRMÓ EL PROGRAMA: «A LA MEJOR CHICA DE 3° DE LA ESCUELA DOMINICAL QUE HA PISADO UN ESCENARIO. SIGUE ASÍ.»

SUSPIRO QUÉ PENA QUE EL CURSO QUE VIENE SE VAYA A HACER BACHILLERATO A OTRO SITIO. PERO JAMÁS PODRÍA OCUPAR TU LUGAR, HUGH.

¿Y TÚ? ¿HACES TEATRO? ¿QUÉ ES «LO TUYO»?

ZOEY LLEVABA TANTO TIEMPO HABLANDO SIN PARAR QUE CASI ME OLVIDÉ DE CONTESTAR.

¿«LO MÍO»?

SÍ, «LO TUYO», YA SABES. ¿CÓMO SE TE CONOCE EN TU COLEGIO? POR EJEMPLO, A MÍ ME LLAMAN «LA TEATRERA» POR SER TAN AFICIONADA AL TEATRO. ¿CÓMO TE LLAMAN A TI?

SOLO HABÍA TENIDO UN MOTE EN EL COLEGIO, Y NO ERA PRECISAMENTE AGRADABLE.

«ÁSPID».

¡NO! ¡JA, JA, JA! PERDONA, PERO QUÉ **MALA IDEA**. ¿A QUIÉN SE LE PUEDEN OCURRIR ESAS COSAS?

ADIVINAD A QUIÉN SE LE OCURRIÓ **ESA** COSA. ¿QUÉ OTRO PÉRFIDO ALUMNO DE SEGUNDO DE PRIMARIA CONOCERÍA LA PALABRA «ÁSPID»?

LA VERDAD ES QUE YA NADIE ME LLAMA ASÍ DESDE 2° DE PRIMARIA. AHORA SOLO SOY... SOLO SOY... MMM...

ES CURIOSO, YO TENÍA ETIQUETADOS A TODOS MIS COMPAÑEROS DE CLASE.

BRUNO, EL JUGADOR DE FÚTBOL

LEANOR, LA CEREBRITO

SANTI, EL TORPE

LAS CHICAS MÁS POPULARES Y FUTURAS ANIMADORAS DE AMÉRICA.

SOFÍA

GABRIELA

ROBERTA

ANA, LA AMAZONA

JOANA, LA AMAZONA FRIKI

TEO, EL PAYASO

DE PRONTO, SUPE QUE «LO MÍO» ERA «LA MEJOR AMIGA DE NICOLE».

CREO QUE NO TENGO NADA ESPECIAL

... YA NO.

BUENO, DESPUÉS DE ESTO TE LLAMARÁN ¡«LA CHICA DEL PELO AZUL»!

SUPONGO. ¿CÓMO VA?

ESTO ES LO QUE LE HABÍA PASADO A MI PELO DURANTE TODO AQUEL RATO (AL MENOS, POR LO QUE YO PODÍA VER).

SIGUE COMPLETAMENTE OSCURO. DEBES DE TENER MECHONES MUY RESISTENTES. BUENO, NO TE PREOCUPES: SOLO TENEMOS QUE AUMENTAR LA POTENCIA DE DISPARO.

ME ECHÓ OTRA GENEROSA DOSIS DE DECOLORANTE EN EL PELO. DESPUÉS ME PUSO UN GORRO DE DUCHA Y ME DIJO QUE EL CALOR HARÍA QUE EL DECOLORANTE ACTUARA MÁS RÁPIDO.

TODO ESTE DECOLORANTE NO ME DEJARÁ CALVA, ¿NO?

NO RESPONDIÓ, LO CUAL NO ERA MUY TRANQUILIZADOR.

CADA DIEZ MINUTOS O ASÍ ECHABA UN VISTAZO Y HACÍA COMENTARIOS ENIGMÁTICOS COMO:

¡SÍ! ¡AHORA SÍ QUE ESTÁ YENDO BIEN!

HACIA LA MITAD DE LA PELÍCULA, DECIDIÓ QUE YA HABÍA TRANSCURRIDO TIEMPO SUFICIENTE.

¿ESTÁS LISTA?

¡TACHÁÁÁÁÁN!

¡AAAAAAAHHHHH!

TRANQUILA, RELÁJATE, NO PASA NADA. RESPIRA, PERO NO DEMASIADO PROFUNDAMENTE PARA QUE NO TE HAGAN DAÑO LOS VAPORES. ESTO SOLO HA SIDO LA FASE UNO, ¿ENTENDIDO?

AHORA ÉCHATE HACIA ATRÁS Y RELÁJATE. EN ESTE MOMENTO ESTÁS EXPERIMENTANDO UNA ESPECIE DE *SHOCK*, PERO ESO ES NORMAL.

VENGA, INCORPÓRATE.

ME HABLABA COMO SI FUERA VÍCTIMA DE UNA CONTUSIÓN CRANEAL.

Y AHORA AÑADIMOS EL TINTE AZUL. AHORA ES DONDE TODO EMPIEZA A IR MEJOR.

AAAAAH.

ESTO VA MEJORANDO, GRACIAS AL COLOR OSCURO.

¡PARECE MI PELO DE SIEMPRE!

PORQUE ESTÁ HÚMEDO. YA VERÁS LA DIFERENCIA, CONFÍA EN MÍ. AHORA LO DEJAREMOS **ACTUAR** UNOS 30 MINUTOS.

¿SABES QUÉ? MIENTRAS ESPERAMOS, CREO QUE VOY A TEÑIRME UN MECHÓN DE ROSA.

¡HALA, ES COMO SI TUVIERAS UNA TIENDA DE TINTES AHÍ DENTRO!

TOMA, ÉCHAMELO TÚ. SOLO POR EL FLEQUILLO.

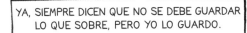

YA, SIEMPRE DICEN QUE NO SE DEBE GUARDAR LO QUE SOBRE, PERO YO LO GUARDO.

¿SABES?, SI JUGAMOS ESE PARTIDILLO NOS TOCARÁ ELEGIR UN NOMBRE DE GUERRA. ESTOY CASI DECIDIDA POR «MATAMISERABLES». *LOS MISERABLES* ES MI MUSICAL FAVORITO DE TODOS LOS TIEMPOS. ¿CUÁL VA A SER TU NOMBRE DE GUERRA?

NO LO SÉ... ES UNA DECISIÓN MUY IMPORTANTE.

¿ELEGIR MI PROPIO NOMBRE? OJALÁ ME HUBIERAN DADO LA OPORTUNIDAD HACE 12 AÑOS. NO SÉ POR QUÉ MI MADRE ME PUSO ASTRID. MIRA QUÉ ES UN NOMBRE RARO... Y DA PIE A QUE LOS OTROS NIÑOS TE PONGAN MOTES COMO «ÁSPID».

MÁS VALE QUE TE DES PRISA EN ELEGIRLO. ¡QUEDAN SOLO SEMANAS!

POR FIN, DESPUÉS DE ESCUCHAR DOS VECES *AMERICA* Y *I FEEL PRETTY*, DE *WEST SIDE STORY*...

... LLEGÓ EL MOMENTO.

ES... ¡ES ESPECTACULAR!

TIENES UNA MANCHITA DE TINTE EN LA FRENTE Y OTRA EN LAS OREJAS. NO TE PREOCUPES, DESAPARECERÁ EN 3 O 4 SEMANAS.

ERA UNA MUJER NUEVA. ¡IBA A SER FIRME! ¡FUERTE! ¡SIN MIEDO!

¡MI MADRE ME VA A MATAR!

¡NO TE PREOCUPES! ¡LO SUPERARÁ! TAMPOCO ES QUE TE HAYAS PUESTO UN PIERCING EN LA NARIZ NI...

MMMMM... **ESPERA** UN MOMENTO...

¡NO!

¡ESCÚCHAME!

SOLO NECESITAS UN CLIP, LO DOBLAS ASÍ, Y LO CORTAS.

VOILÀ! ¡UN PIERCING FALSO EN LA NARIZ!

PRIMERO DEJA QUE TU MADRE SE LLEVE EL SUSTO **DE SU VIDA** Y LUEGO LA TRANQUILIZAS DICIENDO «¡RELÁJATE, ES FALSO!». ¡YA VERÁS COMO LUEGO NO SE ASUSTA TANTO SOLO POR EL PELO!

ES... ¡UNA IDEA GENIAL!

GRACIAS, GRACIAS, PERO ESPERA... AÚN HAY MÁS.

OYE, MAMÁ, ¿ME PUEDO QUEDAR UN RATO MÁS EN CASA DE NICOLE? DESPUÉS ME LLEVA SU MADRE.

PASAMOS UNA HORA MÁS METIDAS EN EL BAÑO.

¡BLAM!

¡PUM!

¡CRASH!

CUANDO POR FIN TERMINAMOS, ME LLEVÓ A CASA DANNY, EL HERMANO DE ZOEY, QUE TENÍA 16 AÑOS.

¡... Y **ESO** ES UN SIMULACRO DE INCENDIO CON LUCES ROJAS Y TODO!

OYE, ¿PUEDO PASAR PARA ESCUCHAR LA BRONCA QUE TE VA A ECHAR TU MADRE?

¡DANNY! ¡DÉJALA EN PAZ, BASTANTE NERVIOSA ESTÁ YA LA POBRE!

VALE, VALE, TAMPOCO HARÁ FALTA QUE ENTREMOS. PROBABLEMENTE LA OIGAMOS DESDE FUERA DE TODOS MODOS.

¡ADIÓS, ASTRID, HASTA MAÑANA! ¡SUERTE!

EN FIN, VAMOS ALLÁ...

1A

¿ASTRID? ¿ERES TÚ?

¿POR QUÉ HAY TANTAS LUCES ENCENDIDAS, MAMÁ? DEBERÍAS TOMARTE EN SERIO LO DE AHORRAR ENERGÍA.

CLIC

SUSPIRO ASTRID, VUELVE A ENCENDER LA LUZ, POR FAVOR. ESTOY LEYENDO.

CLIC

¡AAAAAHHHHH!

¡TU CARA! ¡TU PRECIOSA CARA DE ÁNGEL!

MAMÁ. **¡MAMÁ!** ¡RELÁJATE! ¡SON FALSOS!

AH, GRACIAS A DIOS...

POR EL CONTRARIO, **EL PELO**...

¡AAAHH!

CAPÍTULO ★ 9

¡SIGUES VIVA!

CREO QUE SOLO SE ALEGRÓ DE QUE NO ME HUBIERA HECHO UN TATUAJE. Y ME DIJO QUE TENÍA QUE VOLVER A TEÑIRME EL PELO DE NEGRO ANTES DE QUE EMPEZARA EL CURSO. NO QUIERE QUE MIS PROFES SE LLEVEN UNA «IDEA EQUIVOCADA» DE MÍ, SEA LO QUE SEA LO QUE ESO SIGNIFIQUE.

¿UNA IDEA EQUIVOCADA? POR EJEMPLO, ¿QUE ERES INCREÍBLE?

¡LO SÉ! ¡A MÍ ME PARECE QUE DA PRECISAMENTE LA IDEA **CORRECTA**!

¡PIIIII! ¡PIIIII!

¡ATENCIÓN, CHICAS! AYER DURANTE LOS EJERCICIOS DE BLOQUEO NO VI DEMASIADA PASIÓN.

¡CUANDO SE JUEGA AL ROLLER DERBY, HAY QUE SACAR LA AGRESIVIDAD! PUEDE QUE FUERA DE LA PISTA SEÁIS TODAS AMIGAS, PERO ¿DENTRO? ¡EN LA PISTA NO HAY AMIGAS!

ESTE EJERCICIO SE LLAMA «CARA DE GUERRA».

AHORA, FORMAD UNA FILA...

SÍ, YA. ¡NO PIENSO PONERME EN CABEZA **ESTA** VEZ!

LA PRIMERA EN HACER EL EJERCICIO TIENE QUE ABRIRSE PASO, DE ATRÁS A ADELANTE, LO CUAL QUIERE DECIR QUE TÚ ERES LA PRIMERA, ASTRID.

¡VAYA!

HAS DE AVANZAR ENTRE LA FILA EN ZIGZAG. CUANDO PASES JUNTO A OTRA JUGADORA,

QUIERO QUE MIRES A TU ADVERSARIA A LOS OJOS Y LE MUESTRES TU CARA DE GUERRA.

¡GRRRRRR!

SILBIDO

¡GRRRRRR!

SILBIDO

¡GRRRRRR!

SILBIDO

¡MUY BIEN, EN MARCHA TODO EL MUNDO!

ASTRID, EMPIEZA AL OÍR EL SILBATO...

¡PIIIII!

¡GRRRRRR! (*RISITA*)

¡GRRRRRR! (*RISITA*)

¡GRRRRRR! (*RISITA*)

SILBIDO

SILBIDO

SILBIDO

¡PIIIII! ¡PIIIII!

ESCÚCHAME, ASTRID, ¡¿A ESO LO LLAMAS TÚ **CARA DE GUERRA**?! ¡ESO NO ASUSTARÍA NI A UN HÁMSTER!

CHICAS, ESTO NO ES UNA BROMA. CUANDO JUGÁIS AL ROLLER DERBY, TENÉIS QUE DARLO TODO. NO PODÉIS REPRIMIROS, NI SENTIR VERGÜENZA O TIMIDEZ. QUIERO QUE MOSTRÉIS PASIÓN O QUE OS VAYÁIS A CASA.

AL ACABAR, DEJÉ OTRA PREGUNTA PARA DENTELLADA DE ARCOÍRIS.

AL DÍA SIGUIENTE LLEGÓ LA RESPUESTA.

Querida Barullito:

Consejo del día:

Cuando bloquees a alguien, imagínate que estás golpeando a tu peor enemigo sobre la Tierra.

Eso es todo,
Dente

¡BUENO, **ESO** DEBERÍA AÑADIR DIVERSIÓN A LOS EJERCICIOS DE BLOQUEO!

¡BUM!

¡TOMA, RACHEL!

¡PIIIII! ¡PIIIII!

¡CHICAS! ¡SENTAOS! COMO PREPARACIÓN PARA EL PARTIDO, VAMOS A HABLAR SOBRE CÓMO JUGAR.

COMO LA MAYORÍA DE VOSOTRAS SABRÉIS, ESTO ES...

¡... UNA BRAGA!

¡UNA BRAGA...! ¡JI, JI!

LA BRAGA DE LA JAMMER LLEVA UNA ESTRELLA.

LA DE LA PÍVOT LLEVA UNA FRANJA.

SE PONEN POR ENCIMA DEL CASCO. ASÍ.

¿QUIÉN SABE DECIRME CUÁL ES LA FUNCIÓN DE LA PÍVOT?

ES COMO LA BLOQUEADORA PRINCIPAL. YA SABES, COMO LOS RESPONSABLES DE LAS CASAS EN HARRY POTTER. TE DICE QUÉ POSICIÓN DEBES OCUPAR Y ESAS COSAS.

NO ESTÁ MAL. A VER, ¿QUIÉN QUIERE SER PÍVOT EN ESTE PARTIDO DE PRUEBA? VALE, TRENCITAS, TÚ.

NECESITO 3 BLOQUEADORAS MÁS EN LA PISTA.

VAMOS CON LA JAMMER. ¿CUÁL ES SU FUNCIÓN?

¡ES LA QUE ANOTA LOS PUNTOS!

SÍ. ES LA **ÚNICA** JUGADORA QUE PUEDE ANOTAR PUNTOS, Y ESO OCURRE CUANDO LOGRA PASAR A LAS BLOQUEADORAS.

¿QUIÉN QUIERE SER JAMMER?

RÁFAGA TÓXICA, LEVÁNTATE.

BRRMPFL

BIEN. EN ESTE SUPUESTO TENEMOS A UNA POBRE JAMMER SIN COMPAÑERAS DE EQUIPO EN LA PISTA. ESTÁ COMPLETAMENTE SOLA. LAS BLOQUEADORAS SE ALINEAN EN LA PISTA FORMANDO UN MURO...

... Y LA JAMMER SE SITÚA TRAS ELLAS, EN LA LÍNEA DE JAMMER.

LAS BLOQUEADORAS INTENTAN **DETENER** A LA JAMMER.

LA JAMMER QUIERE PASAR A LAS BLOQUEADORAS. SENCILLO, ¿NO?

CUANDO TOQUE EL SILBATO,

¡PIIIIII!

EMPEZÁIS.

HEIDI SE PUSO A HABLAR DE TODA CLASE DE ESTRATEGIAS, UTILIZANDO PALABRAS COMO «FALTA» Y «DEFENSA» Y «MUROS»...

... PERO YO NO LA ESTABA ESCUCHANDO.

SER JAMMER ERA UN **POQUITO** MÁS COMPLICADO DE LO QUE PARECÍA.

¡PLAF!

HEIDI SE PASÓ LA SEMANA ENTERA CON LA CARPETA EN LA MANO Y ESO ME PUSO NERVIOSA. ¿ESTARÍA TOMANDO APUNTES SOBRE MI FORMA DE PATINAR? ¿ESTARÍA DECIDIENDO SI PODRÍA JUGAR EL PARTIDILLO O NO?

EMPECÉ A PONER EN PRÁCTICA LOS TRUCOS QUE UTILIZABA PARA PONER A MAMÁ DE BUEN HUMOR CUANDO QUERÍA ALGO Y QUE HABÍA COMPROBADO QUE FUNCIONABAN.

¡HOY LLEVAS LAS RASTAS GENIAL, HEIDI!

¡OOOOH!, ¿TATUAJE NUEVO, HEIDI?

¡HEIDI, CREO QUE ESTOY EMPEZANDO A DESPEGAR GRACIAS A TUS CONSEJOS!

NO SABÍA SI SE LO ESTABA TRAGANDO O NO.

PERO NO FUE IMPEDIMENTO PARA SEGUIR INTENTÁNDOLO. POR EJEMPLO, EL VIERNES, CUANDO PIDIÓ VOLUNTARIAS PARA REPARTIR FOLLETOS INFORMATIVOS SOBRE EL PARTIDO QUE ÍBAMOS A JUGAR.

NECESITO QUE UNAS CUANTAS VAYÁIS ESTA TARDE AL PARQUE DE ATRACCIONES DE 5 A 7. ES EL DÍA DE ACTIVIDADES EN FAMILIA Y SERÍA UN SITIO ESTUPENDO PARA REPARTIR FOLLETOS Y HABLAR A LA GENTE SOBRE EL ROLLER DERBY.

¡VOY YO, HEIDI!

SONRISA AFABLE, SERVICIAL Y DE BUENA COMPAÑERA.

VAAAAALE... ¡GRACIAS, ASTRID!

¡YO PUEDO ACOMPAÑARTE!

¡GENIAL! ¡Y LUEGO SI TE APETECE TE PUEDES QUEDAR A CENAR EN MI CASA!

ASÍ QUE DESPUÉS DEL ENTRENAMIENTO, ZOEY SE VINO PATINANDO A CASA. HICE LA PARADA HABITUAL.

E-Z STOP

¡MI MEJOR CLIENTA! ¡CLARO QUE PUEDES PEGAR EL ANUNCIO EN EL ESCAPARATE!

ALGO ME LLAMÓ LA ATENCIÓN CUANDO ESTABA PEGANDO EL FOLLETO...

EL CAMPAMENTO DE BALLET DE NICOLE IBA A DAR UNA ACTUACIÓN EL FIN DE SEMANA SIGUIENTE A NUESTRO PARTIDO.

Academia
de Danza
Northwest

Festival
de verano
30 de julio, 7 pm

ROLLER DERBY

TÉCNICAMENTE, NO PUEDO LLEVAR A AMIGAS A CASA CUANDO MAMÁ NO ESTÁ... ASÍ QUE TUVIMOS QUE DAR UN PEQUEÑO RODEO.

¡MAMÁ! ¡ESTOY AQUÍ!

¿PUEDE QUEDARSE ZOEY A CENAR?

LLÁMAME SI AL FINAL LOS PADRES DE ZOEY NO PUEDEN RECOGEROS. Y NO HABLÉIS CON DESCONOCIDOS.

MAMÁ, AÚN ES DE DÍA.

GRACIAS POR LA CENA, SEÑORA V.

ENCANTADA DE CONOCERTE, ZOEY... AUNQUE SEAS LA RESPONSABLE DEL PELO DE ASTRID.

¡PIII, PIIIII!

¡SÍ!

LO PRIMERO ES LO PRIMERO. DEBÍAMOS RECUPERAR ENERGÍAS PARA EL DURO TRABAJO QUE TENÍAMOS POR DELANTE.

SODA $3

ZOEY ESTABA COMO LOCA, Y HABLABA CON CUALQUIERA QUE PASARA A NUESTRO LADO.

¡MOLA TU CAMISETA!

¡MOLA TU PELO!

¿TE GUSTA DIVERTIRTE? ¡SI TE GUSTA DIVERTIRTE, EL ROLLER DERBY TE VA A **ENCANTAR**!

NOS PUSIMOS CERCA DEL MARTILLO DE FUERZA, Y ZOEY EMPEZÓ A DAR VOCES COMO UN CHARLATÁN DE FERIA.

¡ROLLER DERBY! ¡PASEN Y VEAN! ¡RECOJAN LOS FOLLETOS INFORMATIVOS SOBRE ROLLER DERBY AQUÍ!

¡PARA! ¡ME PARTO!

ESPERA, TENGO UNA IDEA.

LAMETÓN

¡VENGAN A VER A LA INCREÍBLE PITONISA! ¡PUEDE VER EL FUTURO!

¿QUÉ HAS DICHO?

VEO... ¡ROLLER DERBY EN SU FUTURO!

¡¿ROLLER DERBY?! ¡YO VEO UN HOSPITAL PSIQUIÁTRICO EN EL TUYO!

JA JA JA JA JA

¡PARA! ¡YO SÍ QUE VEO UN HOSPITAL PSIQUIÁTRICO EN **TU** FUTURO!

¡CONOZCA SU FUTURO! ¡SU FUTURO EN EL ROLLER DERBY! ¡PASEN Y VEAN!

¡PUEDO VEEEEER EL FUTUUUURO!

¿ASTRID?

HABRÍA RECONOCIDO ESA VOZ EN CUALQUIER SITIO... LA HABÍA OÍDO CASI A DIARIO DURANTE LOS ÚLTIMOS CINCO AÑOS. QUIZÁ FUERA VERDAD QUE **PODÍA** VER EL FUTURO, PORQUE CON LOS OJOS CERRADOS DIJE:

¿NICOLE?

LLEVABA SEMANAS SIN VERLA, DESDE AQUEL DÍA DELANTE DE SU CASA. Y AHÍ ESTABA... CON RACHEL, ADAM Y KEITH.

¡TU PELO! ESTÁS MUY..., MUY CAMBIADA.

TUVE UNA SENSACIÓN RARA. ME QUEDÉ PETRIFICADA AL VERLA APARECER TAN DE REPENTE, Y UNA PARTE DE MÍ SE SINTIÓ UN POCO MAL, PERO LA OTRA SEGUÍA CON UNAS GANAS LOCAS DE SEGUIR RIÉNDOME.

MI ABUELA TIENE EL PELO AZUL.

EN OTRAS CIRCUNSTANCIAS HABRÍA BASTADO PARA TENER UNA BRONCA, PERO POR ALGUNA RAZÓN...

¿TU ABUELA ESTÁ EN UN HOSPITAL PSIQUIÁTRICO?

BUFIDO

FRIKI.

¿QUIERES UN FOLLETO?

¿ROLLER DERBY?

¿JUEGAS AL ROLLER DERBY?

¡EN SERIO!

¿Y CÓMO HACÉIS, OS ZURRÁIS UNAS A OTRAS?

CÁLLATE. JUEGA AL ROLLER DERBY. ¡PODRÍA ZURRARTE **A TI**!

SOLO UTILIZO MIS PODERES PARA HACER EL BIEN, NO EL MAL.

NICOLE SEGUÍA MIRÁNDOME SIN PESTAÑEAR. YO TAMPOCO PUDE EVITAR QUEDARME MIRÁNDOLA.

¿ESTABA **SALIENDO** CON ADAM? NO SÉ POR QUÉ ESE PENSAMIENTO ME PROVOCÓ UNA SENSACIÓN EXTRAÑA..., PERO ASÍ FUE.

¡VENGA! HE QUEDADO CON MI MADRE DENTRO DE UNA HORA. ¡VÁMONOS!

¡TIRAR PAPELES AL SUELO ES UN DELITO!

PUAJ. ¿AMIGOS TUYOS?

ROLLER DERBY

NO.

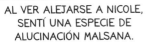

AL VER ALEJARSE A NICOLE, SENTÍ UNA ESPECIE DE ALUCINACIÓN MALSANA.

¿LE DARÍA LA MANO A ADAM? ¿LO **BESARÍA**?

¡VEN, SIGÁMOSLOS!

¿PARA QUÉ? ME PARECEN UNOS PRINGADOS.

¡SERÁ DIVERTIDO! ¡VAMOS, PODEMOS BURLARNOS DE ELLOS!

Y ADEMÁS YA HEMOS REPARTIDO CASI TODOS LOS FOLLETOS.

OYE, ¿TE APETECE MONTARTE EN LOS RÁPIDOS?

¡EH, ESPÉRAME!

LOS SEGUIMOS DURANTE UN RATO, PERO NO SUCEDIÓ NADA INTERESANTE. NICOLE Y RACHEL SE PASARON CASI TODO EL TIEMPO DE RISITAS Y ADAM Y KEITH A PUÑETAZOS.

Y HABLANDO DE COSAS SUPERRIDÍCULAS.

«¿TENGO BIEN EL BRILLO DE LABIOS? ¡OOOOH, CREO QUE ME HE DESCASCARILLADO EL PINTAÚÑAS! ¡OOOOH, QUÉ SUCIO ESTÁ ESTO!»

¡ES INSUFRIBLE! ¿CÓMO ES POSIBLE QUE ALGUIEN LA SOPORTE?

CHICOS, ¿NOS VAIS A BUSCAR UNAS COCACOLAS *LIGTH*? TENGO QUE HABLAR CON NICOLE **A SOLAS**.

BIEN. PERFECTO. AHORA NOS MONTAREMOS EN LA NORIA Y AHÍ **SEGURO** QUE ADAM TE BESARÁ. ESO ES PRÁCTICAMENTE PARA LO QUE SE INVENTARON LAS NORIAS.

¿ESTÁS SEGURA? NO HA INTENTADO DARME LA MANO NI NADA PARECIDO.

FÍATE DE MÍ.

A MENOS, CLARO ESTÁ, QUE EL NUMERITO ESTRAFALARIO QUE HA MONTADO ASTRID LO HAYA ESPANTADO. NO ME PUEDO CREER QUE FUERAIS AMIGAS.

ME DIO UN VUELCO EL CORAZÓN Y DE PRONTO EL REFRESCO ME EMPEZÓ A SABER FATAL.

AHORA ESTÁ... TAN DISTINTA. NO SÉ QUÉ HA PASADO.

IGUAL TOMA DROGAS O ALGO ASÍ.

¡¡DROGAS!! PERO ¡¿QUÉ LE PASABA A ESTA CHICA?! ¿VIVÍA TOTALMENTE AL MARGEN DE LA REALIDAD?

NO CREO QUE TOME DROGAS.

LO QUE SEA. LO ÚNICO QUE SÉ ES QUE NO TE CONVIENE NADA CREARTE MALA FAMA EL PRIMER DÍA DE INSTITUTO.

QUE FUERAIS AMIGAS EL CURSO PASADO NO QUIERE DECIR QUE TENGÁIS QUE SERLO ESTE.

¿Y CÓMO DEJAS DE SER AMIGA DE ALGUIEN SIN MÁS?

LO CURIOSO DEL CASO ES QUE... ESA ERA LA MISMA PREGUNTA QUE YO LLEVABA SEMANAS HACIÉNDOME. QUIZÁ SEA UNO DE ESOS MISTERIOS INSONDABLES DEL UNIVERSO.

... A MENOS QUE SEAS UN ENGENDRO DEL DIABLO, CLARO. EN **ESE** CASO TIENES LA RESPUESTA.

LO MEJOR ES DEJAR DE HABLARLE SIN MÁS. HACERLE EL VACÍO.

ME EMPEZÓ A LATIR EL CORAZÓN CON VIOLENCIA.

PARECE MEZQUINO, PERO ES AÚN MÁS MEZQUINO DEJAR QUE SIGA ENGAÑADA Y FINGIR QUE SEGUÍS SIENDO AMIGAS.

NICOLE NO IBA A SEGUIR ADELANTE CON ESE PLAN, ¿NO?

SI TE SALUDA EN EL PASILLO, LIMÍTATE A PASAR DE LARGO.

ESPERABA QUE NICOLE LA MANDARA A PASEO. HACER ESO SERÍA REPULSIVO Y DE MALA PERSONA.

LO QUE DIJO FUE:

CLARO, SÍ.

ME SENTÍ COMO SI UN ZOMBI SE HUBIERA APODERADO DE MI CEREBRO. ESTABA CASI CIEGA DE RABIA CUANDO SALÍ DE DETRÁS DEL ÁRBOL.

¡ASTRID!

SOLO QUERÍA DECIRTE QUE NO TIENES DE QUÉ PREOCUPARTE. NO TE SALUDARÉ EN EL INSTITUTO. ¡NO VOLVERÉ A HABLAR CONTIGO NUNCA MÁS!

NO QUERÍA HERIR TUS SENTIMIENTOS...

Y ADEMÁS, ¿A QUIÉN LE APETECERÍA IR CONTIGO? ¡ERES ABURRIDA! ¡Y FRÍVOLA! ¡HAY GENTE A LA QUE LE IMPORTAN OTRAS COSAS APARTE DE LOS PINTALABIOS, LOS CHICOS Y LA ROPA!

ESTÁ CLARO QUE **A TI** NO TE IMPORTA NADA DE **ESO**. AHORA, ¿POR QUÉ NO OS METÉIS **TU NOVIA** Y TÚ DEBAJO DE UNA PIEDRA Y NOS DEJÁIS EN PAZ?

Y DE REPENTE APARECIÓ

¡CARA DE GUERRA!

¡GRRRRRR!

NO SÉ POR QUÉ LO HICE. NO TENÍA INTENCIÓN DE HACERLO; LO ÚNICO QUE QUERÍA ERA TIRARLES EL REFRESCO A LOS PIES. PERO POR UNA DE ESAS LEYES DE LA FÍSICA...

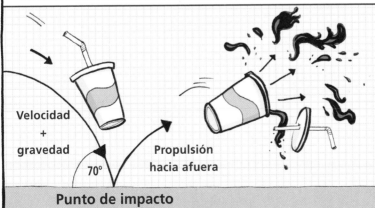

Velocidad + gravedad

70°

Propulsión hacia afuera

Punto de impacto

¡PUAJJJ! ¡QUÉ ASCO, ME HAS PUESTO PERDIDA! ¡AHORA **SÍ** QUE TE HAS METIDO EN UN BUEN LÍO, ASTRID!

MAMÁ NUNCA ME DEJA DECIR ESA «PALABRA QUE EMPIEZA POR **O**», ESTABA PROHIBIDA EN NUESTRA CASA. PERO MI RABIA SURGIÓ A BORBOTONES Y NO PUDE CONTENERME...

¡TE **ODIO**, NICOLE! ¡TE **ODIO**, TE **ODIO**!

... Y ME FUI CORRIENDO.

ME LATÍA EL CORAZÓN A TODA VELOCIDAD, ME TEMBLABAN LAS PIERNAS, ERA COMO SI ACABARA DE TERMINAR LA PRUEBA DE LAS 50 VUELTAS ASESINAS.

NUNCA, NUNCA EN MI VIDA PENSÉ QUE IBA A DECIR ESAS PALABRAS A LA MEJOR AMIGA DEL MUNDO. SUPONGO QUE NUESTRA AMISTAD HABÍA TERMINADO.

DEL TODO.

HA SIDO (JADEO) INCREÍBLE. SE LO (JADEO) MERECÍAN.

IBAN A IR A POR MÍ. QUERÍAN HACERME LA VIDA IMPOSIBLE EN EL INSTITUTO.

AH, ¿SÍ? QUE LO INTENTEN. ¡JUEGAS AL ROLLER DERBY! PUEDES MANTENERLAS A RAYA CON UN GOLPE DE CADERA.

POR MUY MAL QUE ME SIENTA, SIEMPRE SE ME ESCAPARÁ UNA SONRISA SI PIENSO EN HACER RODAR A RACHEL ESCALERAS ABAJO DE UN GOLPE DE CADERA.

CAPÍTULO · 10

YO SOLO CREÍA QUE QUERÍA JUGAR AQUEL PARTIDILLO, PERO DESDE MI ENCONTRONAZO CON NICOLE Y RACHEL ALGO CAMBIÓ DENTRO DE MÍ. AHORA **NECESITABA** JUGARLO.

NO SOY CAPAZ DE EXPLICAR LA TORMENTA QUE SE DESATÓ EN MI INTERIOR. NUNCA HABÍA ESTADO TAN ENFADADA, Y DEJÉ QUE EL ENFADO CORRIERA POR MIS VENAS COMO EL COMBUSTIBLE DE UN COHETE. ESTABA COMO POSEÍDA.

ERA COMO SI HUBIERA PUESTO CARA DE GUERRA Y NO FUERA CAPAZ DE QUITARLA.

PRACTIQUÉ MIS BLOQUEOS DE CADERA CON EL UMBRAL DE LA PUERTA.

¡TOMA, RACHEL!

¡BUM!

¡BUM!

¡TOMA, NICOLE!

ME SALIERON MORATONES EN LAS CADERAS Y EN LOS BRAZOS, PERO ME HACÍAN SENTIR BIEN.

HICE EJERCICIOS DE RODILLA AL SUELO MIENTRAS REALIZABA LAS TAREAS DE LA CASA.

SENTADILLAS MIENTRAS VEÍA LA TELE.

LO QUE **DE VERDAD** QUERÍA ERA PATINAR SUPERRÁPIDO, PERO EL PASILLO NO ERA LO BASTANTE LARGO PARA ADQUIRIR VELOCIDAD.

¡BLAM!

AY.

¿ESTÁS SEGURA DE QUE NO NECESITAS UN DESCANSO? HAS ESTADO ENTRENANDO MUY DURO.

GRUÑIDO

MAMÁ, **TENGO** QUE TRABAJAR DURO. ES LO QUE DE VERDAD QUIERO HACER.

YA, PERO... TAMPOCO TE PASES, ¿VALE?

GRUÑIDO

¿TE APETECE VENIR HOY A MI CASA? HE ALQUILADO EL DVD DE *XANADÚ*. ATENCIÓN: ES UN MUSICAL... **¡SOBRE PATINES!**

LA VERDAD ES... QUE QUIERO QUEDARME ENTRENANDO UN POCO MÁS.

¿QUÉ? ¡ACABAMOS DE TERMINAR UN ENTRENAMIENTO **DE TRES HORAS**!

QUIERO JUGAR ESE PARTIDO. ¿TÚ NO?

SÍ, PERO... **¡XANADÚ!**

NO PODÉIS QUEDAROS EN EL RECINTO SIN LA SUPERVISIÓN DE UN ADULTO... PERO ESTA TARDE TENGO QUE DEDICARLA A HACER PAPELEO, ASÍ QUE ME QUEDARÉ UNA HORA MÁS O ASÍ. ¿LO SABEN VUESTROS PADRES?

¡CLARO, LOS HEMOS LLAMADO! NOS HAN DICHO QUE SIN PROBLEMA.

¡OH!

QUIZÁ A ESTAS ALTURAS OS ESTARÉIS PREGUNTANDO POR MI NIVEL DE PATINAJE.

PREPARADAS, LISTAS...

¡... YA!

¡AHORA SOY BASTANTE VELOZ!

¡GANÉ!

AUNQUE FRENAR NO SEA MI PUNTO FUERTE.

AY

PERO ¿QUIÉN PIENSA EN FRENAR CUANDO PUEDE PATINAR TAN RÁPIDO?

MIS BLOQUEOS DE CADERA VAN MEJORANDO... MÁS O MENOS.

¡ESTA VEZ CASI ME MUEVES!

Y CUANDO ME BLOQUEAN **A MÍ,** SOLO ME CAIGO EL 80% DE LAS VECES.

¡PLAF!

BUENO, VALE, EL 90%.

¡PLAF!

95%.

¡PLAF!

PERO NO IMPORTA, PORQUE NO QUIERO SER BLOQUEADORA. ¡VOY A SER JAMMER, Y TAN VELOZ QUE NADIE PODRÁ GOLPEARME!

¡TRES HURRAS POR ASTRID!

¡Y CON UN ASOMBROSO TOTAL DE 25 PUNTOS, ASTRID GANA EL PARTIDO!

VA A SER... O SEA... LA MÁS GUAY DEL INSTITUTO.

¿POR QUÉ LA DEJÉ DE LADO? ¿QUÉ HE HECHO?

ZOEY Y YO PRACTICÁBAMOS SIEMPRE QUE PODÍAMOS DESPUÉS DEL ENTRENAMIENTO.

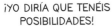

¡MUY BIEN, CHICAS! RECOGED, ME VOY YA.

ESTOY FRANCAMENTE IMPRESIONADA CON TODA LA PRÁCTICA EXTRA QUE HABÉIS HECHO. HE VISTO UN GRAN PROGRESO, Y LA OTRA ENTRENADORA TAMBIÉN LO HA OBSERVADO.

¿SOMOS LO BASTANTE BUENAS PARA JUGAR EL PARTIDILLO?

¡YO DIRÍA QUE TENÉIS POSIBILIDADES!

¡SÍ!

NO ME DI POR SATISFECHA.

¿SOY LO BASTANTE BUENA PARA SER **JAMMER**?

NO PUEDO PROMETEROS NADA. PARA UN PARTIDILLO CORTO COMO ESTE, PROBABLEMENTE RECURRAMOS A LAS CHICAS CON MÁS EXPERIENCIA COMO JAMMERS, YA QUE NO HEMOS TENIDO DEMASIADO TIEMPO PARA ENTRENAR.

PERO SI, POR EJEMPLO, ¿ALGUIEN ENTRENA MUY, **MUY** DURO? ¿Y MEJORA MUCHÍSIMO? **EN ESE CASO**, ¿PODRÍA SER JAMMER?

COMO YA OS HE DICHO, NO PUEDO PROMETEROS NADA. PERO LAS DOS LO ESTÁIS HACIENDO MUY BIEN, ASÍ QUE SEGUID ASÍ.

¿HAS OÍDO? ¡YA ESTAMOS EN EL PARTIDO! ¡VAMOS A JUGAR! ¡ESPERO QUE NOS PONGAN EN EL MISMO EQUIPO!

OYE, ¿TE APETECE VENIR A MI CASA MAÑANA? PODRÍAMOS REPASAR LA LISTA DE NUESTROS NOMBRES DE GUERRA. ¡Y DECORAR NUESTROS CASCOS! **¡Y VER *XANADÚ*!**

GRACIAS, PERO... CREO QUE MAÑANA VOY A QUEDARME ENTRENANDO OTRA VEZ.

¡¿QUÉ!? PERO SI ACABAS DE OÍRLA... ¡ESTAMOS EN EL PARTIDO!

SÍ, PERO QUIERO SER **JAMMER**.

ESTÁS LOCA. ¡RELÁJATE, CHICA! ¡DIVIÉRTETE UN POCO!

SI DESEAS ALGO CON TODAS TUS FUERZAS, TIENES QUE TRABAJAR MÁS QUE NADIE.

¿ERES UNA DE ESAS CON 9,5 DE NOTA MEDIA?

HASTA MAÑANA, ZOEY.

NADIE PARECÍA TOMARSE LOS ENTRENAMIENTOS DEMASIADO EN SERIO.

HICE ABDOMINALES DURANTE EL DESCANSO PARA EL BAILE DIARIO DE LAS 10:15.

VAMOS, CHICAS, DEJAD DE HACER EL TONTO.

¿ASTRID? ¿SEGURO QUE NO QUIERES VENIR? ¿NI APRENDER MOVIMIENTOS DE PATINAJE GUAIS DE LA MISMÍSIMA OLIVIA NEWTON-JOHN?

NO, ME VOY A QUEDAR PARA PRACTICAR LOS CRUZADOS.

NO ES TAN DIVERTIDO ENTRENAR SOLA, ESO ESTÁ CLARO. PERO NO SE TRATABA DE DIVERTIRSE, SE TRATABA DE CONSEGUIR SER JAMMER EN ESE PARTIDO.

LAS COSAS SE PUSIERON AÚN MÁS SERIAS AL FINAL DE LA SEMANA.

BUENO, SOLO FALTAN DOS SEMANAS PARA EL PARTIDO, ASÍ QUE ¡VAMOS A FORMAR LOS DOS EQUIPOS!

DESPUÉS DE MUCHO DELIBERAR... ¡LAS ENTRENADORAS HEMOS DECIDIDO QUE PODÉIS JUGAR TODAS! TODAS HABÉIS PROGRESADO MUCHO, ASÍ QUE ¡ENHORABUENA!

¡BIEN!

¡SÍ!

TRENCITAS PUÑETAZO, RÁFAGA TÓXICA, ANIQUILA GODZILLA, MARZ APISONADORA Y REFRESCAGRITOS, VOSOTRAS SERÉIS EL EQUIPO A. NAPOLEÓN SERÁ VUESTRA ENTRENADORA.

EL RESTO ESTARÉIS CONMIGO EN EL EQUIPO B.

¡SÍ! ¡ESTAMOS EN EL MISMO EQUIPO!

SENTAOS, HAY UNAS CUANTAS COSAS QUE TENEMOS QUE COMENTAR.

¿Y LAS POSICIONES?

¿ALGUNA PREGUNTA?

¿Y LAS POSICIONES?

BUENA PREGUNTA. COMO NO HEMOS TENIDO MUCHO TIEMPO PARA ENTRENAR, SOLO VAMOS A TENER TRES JAMMERS POR EQUIPO. SI NO OS SELECCIONAN, NO OS PREOCUPÉIS. TODAS TENDRÉIS MÁS OPORTUNIDADES EN EL FUTURO, ¿DE ACUERDO?

EQUIPO A, VUESTRAS JAMMERS SERÁN RÁFAGA TÓXICA, FEROCIDAD FELIZ, ANIQUILA GODZILLA, MARZ APISONADORA Y REFRESCAGRITOS.

¡SÍ!

¡BIEN!

EQUIPO B, VUESTRAS DOS PRIMERAS JAMMERS SERÁN PRESTÍCOLA Y CERQUITOS DE ORO. LLEVAN MUCHO TIEMPO JUGANDO CON LOS CAPULLITOS.

¡BIEN!

COMO TERCERA JAMMER HEMOS SELECCIONADO A UNA PERSONA CON MENOS EXPERIENCIA, PERO QUE ESTE VERANO HA TRABAJADO MUCHÍSIMO Y HA HECHO UN MONTÓN DE HORAS EXTRAS.

TODAS LAS ENTRENADORAS ESTAMOS DE ACUERDO EN QUE HA HECHO UN GRAN PROGRESO.

¿PODRÍA..., PODRÍA SER VERDAD?

ZOEY. TÚ SERÁS NUESTRA TERCERA JAMMER.

¿¡YO?! ¿HABÉIS VISTO MI JAM?

NO TE PREOCUPES, ¡LO HARÁS DE MARAVILLA!

SI QUERÍAIS SER JAMMERS Y NO HABÉIS SIDO ELEGIDAS, NO OS DESILUSIONÉIS. NO ES MÁS QUE UN PARTIDILLO, Y TENDRÉIS VUESTRA OPORTUNIDAD EN EL FUTURO. VENGA, FORMAD VUESTROS EQUIPOS EN LOS BANQUILLOS.

¡NO ME LO PUEDO CREER! ¡ESTABA SEGURA DE QUE TE ESCOGERÍAN A TI Y NO A MÍ!

¡Y ADEMÁS TÚ NI SIQUIERA **QUIERES** SER JAMMER!

SÍ, LO SÉ, PERO... ¡ES GUAY QUE ME HAYAN ELEGIDO! ¡SIEMPRE CREÍ QUE ERA UN DESASTRE HACIENDO JAMS!

SI NO QUIERES, DEBERÍAS DECÍRSELO. NO DEBERÍAS SER JAMMER SI EN REALIDAD NO TE APETECE.

OYE, LO SIENTO MUCHO, PERO ¡AL MENOS VAS A JUGAR! ¡Y ESTÁS PROGRESANDO TANTO QUE DENTRO DE NADA PODRÁS SER JAMMER!

LO SÉ, ES SOLO QUE... NO PUEDO...

NO PODÍA EXPLICARLE LA DESILUSIÓN QUE ME INVADÍA, PERO EN CIERTO MODO... SENTÍA COMO SI NICOLE Y RACHEL HUBIERAN GANADO Y YO HUBIERA PERDIDO.

PODRÍAS **ALEGRARTE** POR MÍ.

Y **ME ALEGRO**, PERO ES QUE...

YO SÍ ME HABRÍA ALEGRADO POR TI, ¿SABES?

Y SÉ QUE ERA CIERTO, LO CUAL ME HIZO SENTIR AÚN PEOR.

ASTRID, SÉ QUE TE HACÍA ILUSIÓN SER JAMMER EN ESTE PARTIDO. ¡Y LOGRARÁS SERLO! PERO DE MOMENTO NECESITAMOS QUE HAGAS MÁS TRABAJO DE EQUIPO, ¿DE ACUERDO?

SNIFFF

(ASENTIMIENTO)

DESPUÉS DE AQUELLO, EL ENTRENAMIENTO NO MEJORÓ EN NADA. CUANDO LLEGÓ LA HORA DE IRNOS A CASA, ZOEY NI SIQUIERA ME MIRÓ.

¿QUÉ? ¿CREÍAIS QUE EL PEOR DÍA DE MI VIDA NO PODÍA EMPEORAR **AÚN MÁS**?

YO TAMPOCO LO HABRÍA CREÍDO... HASTA QUE MAMÁ LLEGÓ DEL TRABAJO.

¡VENGA, AL COCHE!

¡NOS VAMOS A COMPRAR ROPA!

PROBADORES

¡TIERRA LLAMANDO A ASTRID! ¡SAL DE UNA VEZ, LLEVAS CINCO MINUTOS AHÍ DENTRO!

PROBADORES

ESTO DESDE LUEGO **NO**.

SAL DE TODOS MODOS. QUIERO VERLO.

OH, ES...

ES EL VESTIDO MÁS ESPANTOSO QUE HE VISTO EN MI VIDA Y ADEMÁS ME PARECE QUE ME ESTÁ DANDO URTICARIA. POR FAVOR, ¿PUEDO QUITÁRMELO YA?

¡NICOLE!

¡MAMÁ! OLVIDÉ DE...

... Y POR PRIMERA VEZ, DESPUÉS DE TODA LA RETAHÍLA DE MENTIRAS QUE HABÍA CONTADO EN LOS ÚLTIMOS TIEMPOS, ME QUEDÉ CON LA MENTE EN BLANCO. NO SE ME OCURRIÓ NADA PARA DISTRAER LA ATENCIÓN DE MI MADRE.

¡NICOLE! ¡AQUÍ, CARIÑO!

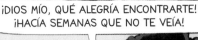

¡DIOS MÍO, QUÉ ALEGRÍA ENCONTRARTE! ¡HACÍA SEMANAS QUE NO TE VEÍA!

¿CONOCÉIS LA EXPRESIÓN «COMO UN CORDERO EN EL MATADERO»?

ANDA, DÍSELO **TÚ**, NICOLE. ¿A QUE ES UNA MONADA?

SÍ, CLARO QUE SÍ.

SUSPIRO. ES EL PELO. CON ESE PELO NADA PUEDE SENTAR BIEN. ¿CÓMO HAS LOGRADO LIBRARTE DE TEÑIRTE EL PELO?

CREO QUE MI MADRE ME MATARÍA SI ME LO TIÑERA.

YO NO PUDE IMPEDÍRSELO A ASTRID. BUENO, ¿NO ESTÁS NERVIOSA POR EL PARTIDILLO? ASTRID NO HABLA DE OTRA COSA. ¡DICE QUE ESTÁIS PROGRESANDO MUCHO EN EL CAMPAMENTO DE PATINAJE!

¿CAMPAMENTO DE PATINAJE?

SE ACABÓ. MIS MENTIRAS IBAN A QUEDAR AL DESCUBIERTO. VI UNA EXPRESIÓN DE PERPLEJIDAD PINTADA EN LA CARA DE NICOLE.

EL CAMPAMENTO DE ROLLER DERBY. AL QUE ASTRID Y TÚ LLEVÁIS TRES SEMANAS ASISTIENDO.

NICOLE MIRÓ A MI MADRE, LUEGO A MÍ, LUEGO OTRA VEZ A MI MADRE. VI QUE SU EXPRESIÓN CAMBIABA DE PERPLEJIDAD A COMPRENSIÓN. Y SUPE QUE ESTABA A PUNTO DE TOMARSE LA VENGANZA DEFINITIVA.

¿NO SE LO HAS DICHO?

AY, DIOS.

¿DECIRME QUÉ?

ES UN CASO CURIOSO, MAMÁ. RESULTA QUE NICOLE...

RESULTA QUE... EL DÍA DEL PARTIDO NO VOY A ESTAR EN LA CIUDAD.

OH, VAYA. QUÉ PENA. SÉ QUE DEBE DE SER EL EVENTO ESTRELLA DEL CAMPAMENTO.

UNA SENSACIÓN DE ALIVIO CORRIÓ POR MIS VENAS... DE HECHO, ESBOCÉ UNA TÍMIDA SONRISA MIRANDO A NICOLE, HASTA QUE RECORDÉ QUE JAMÁS DEBES SONREÍR A TUS ENEMIGOS.

¿ESTÁ TU MADRE CONTIGO? TENÍA QUE HABER HABLADO CON ELLA SOBRE LA RECOGIDA DEL CAMPAMENTO Y ASEGURARME DE QUE NO HABÍA PROBLEMA...

ES QUE ESTOY CON MI PADRE. Y HEMOS QUEDADO EN LA SECCIÓN DE ARTÍCULOS PARA EL HOGAR. CASI SE ME HABÍA OLVIDADO.

ADIÓS, ASTRID. *EJEM*... NOS VEMOS EL LUNES EN EL CAMPAMENTO.

VALE... ADIÓS, GUAPA. ME ALEGRO DE VERTE.

¿OS PASA ALGO? ESTABAIS LAS DOS MUY RARAS.

NO PASA **NADA**, EXCEPTO QUE ME HAN VISTO EN PÚBLICO CON ESTE VESTIDO TAN HUMILLANTE. **POR FAVOR**, ¿PODEMOS IRNOS DE UNA VEZ?

PROBADORES

¡BLAM!

ME TEMBLABAN LAS RODILLAS POR EL ALIVIO Y EL ESTRÉS ACUMULADO. ¿ES POSIBLE QUE SE TE FORME UNA ÚLCERA EN 5 MINUTOS? ¿A LA AVANZADA EDAD DE 12 AÑOS?

¿SABES?, HAY MUJERES A LAS QUE SALIR DE COMPRAS LES PARECE UNA ACTIVIDAD RELAJANTE Y AGRADABLE. ¿TE IMAGINAS?

NI ME MOLESTÉ EN RESPONDER. ESTABA MUY CONFUNDIDA. ¿POR QUÉ NICOLE ME HABÍA SALVADO EL PELLEJO EN YOUNG MISSES?

A MENOS... A MENOS QUE PENSARA UTILIZAR ESA INFORMACIÓN CONTRA MÍ MÁS ADELANTE, Y ASÍ CONSIGUIERA METERME EN UN LÍO AÚN MÁS GORDO.

Y ENTONCES... LO VI TODO CLARÍSIMO. CLARO COMO EL AGUA.

OH, NO.

¿QUÉ? ¿QUÉ PASA?

NADA.

EL FOLLETO. TENÍAN EL FOLLETO INFORMATIVO SOBRE EL PARTIDILLO DE ROLLER DERBY. ERA OBVIO QUE NICOLE Y RACHEL ESTABAN PLANEANDO UNA VENGANZA LETAL Y TERRIBLE PARA DEJARME EN RIDÍCULO EN EL PARTIDO. DELANTE DE 500 PERSONAS.

BUENO, ERA EVIDENTE LO QUE TENÍA QUE HACER. TENÍA QUE GOLPEAR PRIMERO ANTES DE QUE ELLAS ME GOLPEARAN A MÍ.

CAPÍTULO·12

¿SABÉIS CUANDO PICASSO TUVO SU «ETAPA AZUL»?*

*LO SABRÍAIS SI VUESTRAS MADRES OS HUBIERAN OBLIGADO A IR A TARDES DE ENRIQUECIMIENTO CULTURAL.

BUENO, PUES ESTA PARTE DE MI VIDA SE PODÍA CONSIDERAR COMO MI «ETAPA NEGRA».

LAS PESADILLAS ME MANTENÍAN DESPIERTA TODA LA NOCHE.

¡HEMOS PERDIDO POR TU CULPA, IDIOTA!

¿CÓMO ES POSIBLE QUE HAYA SIDO AMIGA DE SEMEJANTE PRINGADA?

¡SONRÍE PARA EL ANUARIO DEL INSTITUTO, VÍBORA!

EN LUGAR DE ENTRENAR, EN MI TIEMPO LIBRE ME DEDIQUÉ A IDEAR CÓMO VENGARME DE NICOLE Y RACHEL.

LÁSTIMA QUE EL RECITAL FUERA LA SEMANA SIGUIENTE A LA DEL PARTIDO. PERO BUENO, AL MENOS ESTARÍA PREPARADA.

EN EL CAMPAMENTO TAMPOCO ME IBA MUCHO MEJOR.

ZOEY NO ME HABLABA.

YA NO ME HACÍA NINGUNA ILUSIÓN EL PARTIDO, AHORA QUE SABÍA QUE NO IBA A SER JAMMER.

¡CREO QUE DEBERÍAMOS LLAMARNOS «LAS GLACIALES»!

¡SÍ, Y PODRÍAMOS VESTIRNOS DE VAMPIRAS!

¡SÍ!

A FALTA DE SOLO UNA SEMANA, NOS PASÁBAMOS EL DÍA PRACTICANDO NUESTROS PUESTOS. CADA DÍA PARECÍA HACER **PEOR** LOS BLOQUEOS, SI CABE. SIEMPRE QUE IBA A BLOQUEAR A ALGUIEN, ME ENVIABAN A LA CAJA DE PENALTI.

¡PIIIII!

¡ASTRID! ¡LOS CODOS AL CUERPO! ¡A LA CAJA DE PENALTI!

¡PIIIII!

¡BLOQUEO BAJO! ¡A LA CAJA DE PENALTI!

¡Y RECUERDA QUE NO AYUDAS DE NINGUNA MANERA A TU EQUIPO MIENTRAS ESTÉS AHÍ!

CUANDO **NO ESTABA** EN LA CAJA DE PENALTI...

ATENCIÓN, AHÍ VIENE LA JAMMER...

¡AHÍ VIENE LA JAMMER! ¡POR EL EXTERIOR! ¡BLOQUÉALA, ASTRID! ¡BLOQUÉALA!

GIRO

FALLO

GEMIDO

... TAMPOCO ERA DE MUCHA AYUDA.

A ZOEY TAMPOCO LE IBA DEMASIADO BIEN COMO JAMMER. LE COSTABA MUCHO TRABAJO PASAR LOS MUROS DEL OTRO EQUIPO.

JADEO

JADEO

GRRR

EL TIEMPO SE VA VOLANDO CUANDO LO ESTÁS PASANDO... MAL.

LUNES

MARTES

MIÉRCOLES

JUEVES

CASI SIN QUE ME DIERA CUENTA, SOLO FALTABAN DOS DÍAS PARA EL PARTIDO.

CUANDO **NO** ME MACHACABAN TRENCITAS Y SU EQUIPO...

... VEÍA CÓMO TRENCITAS Y SU EQUIPO MACHACABAN A **ZOEY**.

¡GÉLIDAS! ¡VAMOS!

¡EL SIGUIENTE JAM SERÁ EL ÚLTIMO POR HOY!

BLOQUEADORAS, QUIERO A ASTRID, COFIA, FINTA Y GRANDULLONA. ZOEY, TÚ PONTE DE JAMMER.

SUSPIRO.

ASTRID, QUIERO QUE DEFIENDAS LA **LÍNEA INTERIOR**. NO TE MUEVAS DE AHÍ. QUE NO SE TE CUELE LA JAMMER DEL OTRO EQUIPO.

ESTA VEZ NO ME VOY A MOVER DE MI MURO. PEGADA A LA LÍNEA. QUE NO SE ME CUELE LA JAMMER RIVAL.

ESTO ES LO QUE TIENE JUGAR AL ROLLER DERBY, QUE TODO ES MUY CONFUSO Y OCURRE MUY DEPRISA.

¡JAMMER A LA VISTA!

¡BLOQUEA! ¡BLOQUEA!

¡QUE NO PASE!

¡OJO A LA LÍNEA INTERIOR!

¡DE PRONTO, TUVE LA VISIÓN FUGAZ DE UNA ESTRELLA! ¡ESA VEZ IBA A CONSEGUIRLO! PUSE TODA EL ALMA EN ELLO.

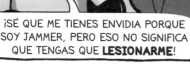

CUANDO NO QUIERES PENSAR ABSOLUTAMENTE EN NADA, SOLO HAY UNA COSA QUE PUEDES HACER.

CLIC

¡BLAM!

¿HAS COMPRADO PATATAS FRITAS?

¿MAMÁ?

ACABO DE ENCONTRARME CON LA MADRE DE NICOLE EN EL SUPERMERCADO.

ME QUEDÉ HELADA.

ME HA DICHO QUE NICOLE NUNCA LLEGÓ A APUNTARSE A ROLLER DERBY. QUE NO TE HA TRAÍDO EN COCHE A CASA TODOS ESTOS DÍAS. ¿QUIERES EXPLICARME **QUÉ** ESTÁ PASANDO?

MAMÁ, YO...

DIME, ¿**CÓMO** HAS VUELTO A CASA TODO ESTE TIEMPO?

YO... HE VUELTO PATINANDO.

LA CARA DE MI MADRE PASÓ DE ROJA A BLANCA COMO EN LOS DIBUJOS ANIMADOS. UNA INSENSATA PARTE DE MÍ SINTIÓ GANAS DE REÍRSE.

SU TONO DE VOZ SE VOLVIÓ MÁS BAJO Y PELIGROSO.

¿HAS VUELTO PATINANDO DESDE EL PARQUE OAKS HASTA CASA TODOS LOS DÍAS? TIENES QUE CRUZAR UNA **AUTOVÍA** PARA LLEGAR.

HAY UN SEMÁFORO. Y UN PASO DE PEATONES.

VETE A TU CUARTO. **AHORA**. YA HABLAREMOS DE TODO ESTO CUANDO ME TRANQUILICE UN POCO.

UNA PARTE DE MÍ (LA PARTE DE MÍ QUE QUERÍA MORIR) QUISO PREGUNTAR «¿Y LAS PATATAS FRITAS?». POR SUERTE, GANÓ LA PARTE DE MÍ QUE QUERÍA SEGUIR VIVA.

ME SENTÉ EN LA CAMA HECHA UNA FURIA. TODO ME DABA IGUAL. ESTABA ENFADADA CON TODO EL MUNDO, SIN EXCEPCIÓN. ¿POR QUÉ NO TAMBIÉN CON MI MADRE?

ESTÚPIDA NICOLE.

¡ZAS!

¡ESTÚPIDA MAMÁ!

¡ZAS!

¡ZAS!

¡¡¡AAAARRRRGHH!!!

ESTÚPIDO ROLLER DERBY.

RAS

ROLLER DERBY

¡TOMA ESA!

ME QUEDÉ CON LA VISTA FIJA EN EL SISTEMA SOLAR QUE MAMÁ HABÍA PINTADO EN EL TECHO DE MI CUARTO CUANDO ERA PEQUEÑA. YO HABÍA PEGADO LAS ESTRELLITAS QUE RELUCÍAN EN LA OSCURIDAD.

DE PEQUEÑA SOLÍA HACER ALGO MUY CURIOSO. ME IMAGINABA QUE YO ERA VENUS, MAMÁ ERA MERCURIO Y NICOLE ERA LA TIERRA.

ME INVENTABA HISTORIAS SOBRE NOSOTRAS, FLOTANDO JUNTAS EN EL SISTEMA SOLAR. VISITÁBAMOS OTRAS GALAXIAS Y CONOCÍAMOS A EXTRATERRESTRES.

AHORA ME PARECÍA MÁS A UNA PELOTA DE GOLF QUE UN ASTRONAUTA HUBIERA LANZADO AL ESPACIO. FLOTANDO SOLA. PARA SIEMPRE.

EN MI CUARTO HABÍA PASADO ALGUNOS DE LOS RATOS MÁS LARGOS DE MI VIDA, ESPERANDO A QUE MAMÁ ENTRARA Y ME ECHARA LA BRONCA.

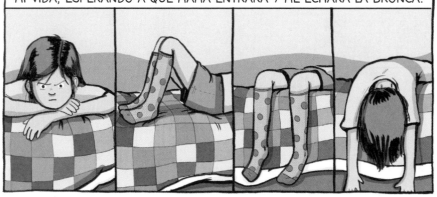

POR SUPUESTO, AL FINAL ENTRÓ.

PERO OCURRIÓ ALGO EXTRAÑO. SE LIMITÓ A SENTARSE EN MI CAMA. NO GRITÓ. NO CHILLÓ. SE QUEDÓ SENTADA SIN MÁS.

AL FINAL, SENTÍ QUE AQUEL SILENCIO ESTABA A PUNTO DE AHOGARME.

¿MAMÁ?

ES QUE YA NO SÉ QUÉ HACER, ASTRID. PRIMERO TE TIÑES EL PELO, LUEGO ME MIENTES... ERA MUCHO MÁS FÁCIL SER MADRE CUANDO ERAS PEQUEÑA.

YA NO SOY PEQUEÑA.

Y PRONTO SERÁS UNA ADOLESCENTE. ¿CÓMO SÉ QUE NO ME VAS A MENTIR SOBRE EL TABACO, O FALTAR A CLASE, O TOMAR DROGAS...?

¿POR QUÉ TODO EL MUNDO PIENSA QUE TENGO ALGO QUE VER CON LAS DROGAS?

ES QUE... ME SIENTO COMO SI YA NO SUPIERA QUIÉN ERES.

BUENO... ¡QUIZÁ NI YO MISMA SEPA QUIÉN SOY!

NO SÉ DE DÓNDE SAQUÉ **ESO**. FINALMENTE, MI MADRE ME MIRÓ.

¿POR QUÉ ME MENTISTE? ¿POR QUÉ NO ME DIJISTE QUE NICOLE NO SE HABÍA APUNTADO A ROLLER DERBY?

NO LO SÉ.

ASTRID, ESA RESPUESTA **NO** ME VALE. ¿POR QUÉ NO ME LO DIJISTE?

NO TE LO DIJE PORQUE... PORQUE YA SABÍA LO QUE IBAS A DECIR. DIRÍAS: «AH, NICOLE Y TÚ OS HABÉIS ENFADADO, BUENO, SEGURO QUE ENSEGUIDA HACÉIS LAS PACES». PERO **NO** ES ESO, ES **OTRA COSA**. SOLO QUE **NO SÉ QUÉ ES**.

EN ESE MOMENTO ESTABA CASI HABLANDO A GRITOS. SEGÚN LAS NORMAS DE NUESTRAS DISCUSIONES, AHÍ ERA CUANDO MAMÁ TAMBIÉN EMPEZABA A GRITAR. PERO ME SORPRENDIÓ AL DECIRME EN VOZ BAJA:

HÁBLAME DE ELLO.

BIEN. ESO FUE EL DETONANTE.

TODO ESTÁ... COMO EMBROLLADO.

SALIÓ TODO A BORBOTONES. QUE AHORA RACHEL ERA LA MEJOR AMIGA DE NICOLE. QUE LO ÚNICO QUE QUERÍA ERA SER POPULAR Y SOLO LE IMPORTABAN LA ROPA, EL MAQUILLAJE Y LOS CHICOS.

LE CONTÉ QUE ESTABA PLANEANDO DEJARME DE LADO EN EL INSTITUTO, Y LO DEL REFRESCO, Y QUE ME IBAN A HACER LA VIDA IMPOSIBLE EL PRÓXIMO CURSO.

Y COMO ESTABA EMBALADA, TAMBIÉN LE HABLÉ DE ZOEY Y LE CONTÉ QUE TAMBIÉN LA HABÍA PERDIDO COMO AMIGA. QUE NO IBA A SER JAMMER EN EL PARTIDILLO Y QUE EL SÁBADO IBA A HACER EL RIDÍCULO DELANTE DE 500 PERSONAS.

¿Y LLEVAS SEMANAS GUARDÁNDOTE TODO ESO? CARIÑO, SI OCULTAS TUS SENTIMIENTOS EN TU INTERIOR DE ESA MANERA, VAS A ACABAR EXPLOTANDO.

AHORA ME SENTÍA VACÍA Y MUY, MUY CANSADA.

MAMÁ, ¿ME ABRAZAS UN POCO?

CLARO QUE SÍ, MI VIDA.

AHORA MISMO ESTÁS ATRAVESANDO UNA ETAPA DIFÍCIL. A VECES LA ADOLESCENCIA PUEDE SER MUY COMPLICADA...

OH, NO. ¡OTRA VEZ **ESA** CHARLA NO!

... Y ADEMÁS RACHEL Y SU MADRE NUNCA ME CAYERON BIEN.

¿EN SERIO?

ESO HIZO QUE ME SINTIERA MEJOR.

OYE, MAMÁ...

SABÍA QUE NO ERA EL MEJOR MOMENTO PARA PREGUNTÁRSELO. PERO TENÍA QUE SABERLO.

MÁS FIRME.
MÁS FUERTE.
SIN MIEDO.

¿ME VAS
A DEJAR JUGAR
EL PARTIDO?

EN AQUEL PRECISO INSTANTE, SUPE QUE AUNQUE FUERA UN DESASTRE Y NO FUERA JAMMER Y QUIZÁ HICIESE EL RIDÍCULO DELANTE DE UN MONTÓN DE GENTE... SEGUÍA QUERIENDO JUGAR.

POR FAVOR.

¿ME **PROMETES** QUE ME VAS A DECIR LA VERDAD DE AHORA EN ADELANTE? CREO QUE EL ÚNICO MODO QUE TENEMOS DE SOBRELLEVAR LOS AÑOS QUE SE AVECINAN ES SER SINCERA CONTIGO, Y QUE TÚ SEAS SINCERA CONMIGO. ¿TRATO HECHO?

TRATO HECHO.

Y AUNQUE EN REALIDAD NADA HABÍA CAMBIADO, «HABÍA DOS ENEMIGAS CONSPIRANDO CONTRA MÍ Y AÚN SEGUÍA SIN TENER NI IDEA DE CÓMO IBA A SOBREVIVIR AL ENCUENTRO» ME SENTÍ MUCHO MEJOR.

Y... UN MOMENTO, ¿ME HABÍA LIBRADO DE UN CASTIGO?

¡SOY UN GENIO!

ASÍ QUE CREEDME: SI OS VEIS EN UN APRIETO CON VUESTROS PADRES,

PROBAD A HABLAR SOBRE VUESTROS «SENTIMIENTOS CONFUSOS Y EMBROLLADOS DE ADOLESCENTE». QUIZÁ OS SIRVA PARA SALIR DEL APURO.

GUIÑO

CAPÍTULO 13

HABÍA CANTADO VICTORIA ANTES DE TIEMPO. NO HABÍA SALIDO DEL TODO DEL LÍO.

Y AHORA YA SABES LO QUE TENEMOS QUE HACER, ¿NO?

¿TOMARNOS UNAS COPAS DE HELADO? ¡QUÉ CASUALIDAD, ERA PRECISAMENTE LO QUE ESTABA PENSANDO AHORA MISMO! LA VERDAD ES QUE FORMAMOS UN BUEN EQUIPO.

MUY GRACIOSA. ANDA, CÁLZATE.

SUSPIRO

MÁS FIRME. MÁS FUERTE. SIN MIEDO.
MÁS FIRME. MÁS FUERTE. SIN MIEDO.
MÁS FIRME. MÁS FUERTE. SIN MIEDO.

MÁS FIRME. MÁS FUERTE. SIN MIEDO.
MÁS FIRME. MÁS FUERTE. SIN MIEDO.
MÁS FIRME. MÁS FUERTE. SIN MIEDO.

DING DONG

VAYA, ASÍ QUE ES CIERTO QUE TE HAS TEÑIDO EL PELO DE AZUL, ¿EH?

HOLA, JOANNE. PERDONA QUE TE MOLESTEMOS, PERO A ASTRID LE GUSTARÍA DECIRTE ALGO.

SIENTO HABER MENTIDO AL DECIR QUE ME TRAÍAS A CASA. NICOLE NO SABÍA NADA, ASÍ QUE NO DEBERÍAS REÑIRLA. LA CULPA ES SOLO MÍA.

BUENO, GRACIAS POR DECÍRMELO, ASTRID. AL MENOS ME ALEGRO DE QUE NO TE PASARA NADA, Y ESPERO QUE HAYAS APRENDIDO LA LECCIÓN.

SUPONGO QUE ESTO SIGNIFICA QUE TE LEVANTE EL CASTIGO, NICOLE.

¡BLAM!

¿NO TIENES NADA QUE DECIRLE TAMBIÉN A NICOLE?

¿PUEDO HACERLO EN PRIVADO, POR FAVOR?

CLARO, SUBE.

ME DESCALCÉ ANTES DE SUBIR.
NO ME APETECÍA NADA PONER A LA
SEÑORA B. DE MAL HUMOR UN MINUTO
DESPUÉS DE PEDIRLE DISCULPAS.

Nicole

MÁS FIRME.
MÁS FUERTE.
SIN MIEDO.

TOC
TOC

¿PUEDO PASAR?

BUENO.

BUENO, ¿QUÉ? ¿HAS VENIDO A TIRARME ALGO POR ENCIMA?

ME SALIÓ DE GOLPE SIN DARME TIEMPO A PENSARLO.

¿POR QUÉ NO TE CHIVASTE AQUEL DÍA EN EL CENTRO COMERCIAL?

CREÍ QUE SE SUPONÍA QUE VENÍAS A PEDIRME **DISCULPAS**.

LO SÉ, PERO... SOLO QUIERO SABERLO.

ES QUE... ES TODO MUY RARO. TODA ESTA PELEA. HAS SIDO MI MEJOR AMIGA DURANTE TANTOS AÑOS... QUE NO FUI CAPAZ DE CHIVARME. NI SIQUIERA DESPUÉS DE... TODO LO QUE HA PASADO.

ESTA ERA LA PREGUNTA QUE MÁS ME COSTÓ HACERLE.

¿POR QUÉ ME DEJASTE TIRADA POR RACHEL?

NO TE DEJÉ **TIRADA**. VAMOS A IR AL INSTITUTO, DEBERÍAMOS HACER **NUEVOS** AMIGOS. NO TIENE NADA DE MALO CONOCER A GENTE NUEVA.

YA, PERO ¿**RACHEL**?

ES QUE LE GUSTAN LAS MISMAS COSAS QUE A MÍ, COMO EL BALLET Y BAILAR.

Y CON ELLA PUEDO HABLAR DE CHICOS...

PFF.

... Y SE LO TOMA COMO ALGO NATURAL.

PFFFF.

AHORA ERA NICOLE LA QUE ESTABA EMBALADA.

NOSOTRAS SIEMPRE HACÍAMOS LO QUE **TÚ** QUERÍAS. COMO PATINAR, O IR AL MUSEO DE CIENCIAS. NUNCA QUERÍAS HACER NADA DE LO QUE ME GUSTABA **A MÍ**.

OH.

SUPONGO QUE ERA PORQUE LAS COSAS QUE ME GUSTAN SON «FRÍVOLAS» Y «ABURRIDAS». ¿ES ASÍ?

NO ERA MI INTENCIÓN.

SÍ, YA, CLARO.

ES QUE... TE COMPORTAS DE FORMA MUY DISTINTA CUANDO ESTÁS CON RACHEL.

TAMBIÉN TÚ ESTÁS DISTINTA.

POR SI NO TE HABÍAS DADO CUENTA.

¿QUÉ TE HA PASADO EN LOS PIES?

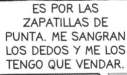

ES POR LAS ZAPATILLAS DE PUNTA. ME SANGRAN LOS DEDOS Y ME LOS TENGO QUE VENDAR.

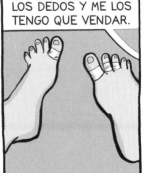

¡ANDA, IGUAL QUE YO! MIRA QUÉ AMPOLLAS TAN TREMENDAS ME HACEN LOS PATINES.

¿ESAS SON TUS ZAPATILLAS DE PUNTA?

SÍ.

¿Y DUELE MUCHO BAILAR EN PUNTAS?

BUENO, UN POCO. PERO TIENES QUE AGUANTARTE.

NUNCA PENSÉ QUE EL BALLET FUERA TAN DURO.

NUNCA ME LO PREGUNTASTE.

¡ASTRID! YA ES HORA DE VOLVER A CASA Y DEJARLAS CENAR TRANQUILAS.

BUENO. YA NOS VEREMOS.

VALE. EH... ADIÓS.

AH, Y PERDONA POR MENTIR SOBRE EL CAMPAMENTO DE ROLLER DERBY.

CUANDO ESTABA EN INFANTIL, MI PROFESORA TENÍA UN PÓSTER QUE SE SUPONÍA QUE DEBÍA ENSEÑARTE CÓMO NOS SENTÍAMOS.

 FELIZ

 TRISTE

 CANSADA

 ASQUEADA

 ENFADADA

AVERGONZADA

 ESPERANZADA

 ILUSIONADA

 ENFERMA

 NERVIOSA

 ABURRIDA

 FURIOSA

TODOS LOS SENTIMIENTOS ERAN DEMASIADO SIMPLES, COMO «FELIZ» O «TRISTE». NO HABÍA NADA SOBRE SENTIMIENTOS QUE SE MEZCLAN COMO EN UN BATIDO DE FRUTAS.

ME SENTÍA MEJOR... PERO NO BIEN DEL TODO. AÚN ESTABA UN POCO ENFADADA CON NICOLE, PERO ME PARECÍA QUE YO TAMBIÉN TENÍA PARTE DE CULPA. ESTABA FELIZ POR HABER HABLADO CON ELLA... Y AL MISMO TIEMPO TRISTE PORQUE TODO SEGUÍA SIENDO MUY DISTINTO.

ESTABA FELISTE.

FELIZ + TRISTE = FELISTE

CAPÍTULO ★ 14

CUANDO ME DESPERTÉ A LA MAÑANA SIGUIENTE ME SENTÍA

 + =

NERVIOSA   ENFERMA   NERFERMA

NUESTRO ÚLTIMO ENTRENAMIENTO ANTES DEL PARTIDO. ME PUSE LA CAMISETA DEL DUENDE LOCO IRLANDÉS. NECESITABA TODA LA SUERTE QUE PUDIERA DARME.

Y SUPONGO QUE FUNCIONÓ, PORQUE...

CUANDO LLEGUÉ AL HANGAR, VI UNA NOTA. HACÍA SEMANAS QUE YO NO LE DEJABA NINGUNA.

Querida Barullito:

¡Enhorabuena! Ya sé que todos los nuevos Capullitos de Rosa vais a jugar mañana. ¡Dime tu nombre de guerra y haré una pancarta para animarte!

Dente

PD: Probablemente estés asustada, y nerviosa, y a punto de hacerte pis encima. Pero no huyas de tu propio miedo. ¡Agárralo por los cuernos! Porque, créeme,

... las mejores cosas de la vida son aquellas por las que merece la pena luchar.

ZOEY, YO... LO SIENTO.

HE SIDO UNA COMPLETA IDIOTA. Y AYER TE GOLPEÉ SIN QUERER. SOY UNA BLOQUEADORA TERRIBLE, ¿A QUE SÍ? ESA ES LA VERDAD.

NO SÉ QUÉ ESPERABA QUE OCURRIERA...

¡¡AMIGAS PARA SIEMPRE!!

OH, ASTRID, TE PERDONO. MAÑANA DEBERÍAS OCUPAR TÚ MI PUESTO DE JAMMER. ¡SEAMOS AMIGAS PARA SIEMPRE Y POR SIEMPRE JAMÁS!

PERO ESTO ES LO QUE OCURRIÓ EN REALIDAD.

VALE.

¿VALE? ENTONCES... ¿ME PERDONAS?

CLARO. LO QUE TÚ DIGAS.

¡PIIII! ¡PIIII!

¡SEÑORITAS, ESTE ES NUESTRO ÚLTIMO ENTRENAMIENTO ANTES DEL ENCUENTRO DE MAÑANA POR LA NOCHE! VAMOS A JUGAR UN PARTIDILLO Y DESPUÉS ¡A CELEBRAR UNA PEQUEÑA FIESTA!

¡BIEN!

¡YUJUUU!

YA HAN LLEGADO VUESTRAS CAMISETAS PARA EL PARTIDO, Y HEMOS TRAÍDO PINTURA INFLABLE Y ROTULADORES PARA QUE PODÁIS DECORAR LOS UNIFORMES.

ASÍ QUE ¡FORMAD LOS EQUIPOS Y A JUGAR!

TRAS VARIAS SEMANAS DE ENTRENAMIENTO DURO...

Y HORAS EXTRA...

... CON UNA BUENA DOSIS DE SANGRE, SUDOR Y LÁGRIMAS...

... PODÍA DECIR SIN NINGUNA DUDA...

... QUE ERA UN DESASTRE.

FALLO

GEMIDO

JE, JE.

POR UNA VEZ, ME ALEGRÉ DE SER BLOQUEADORA. AL MENOS ME MEZCLABA CON EL GRUPO. QUIZÁ NADIE SE DARÍA CUENTA CUANDO METIERA LA PATA.

NO ES COMO
SER JAMMER.

CON TODAS LAS
BLOQUEADORAS ÁVIDAS
DE SANGRE...

¡BLAM!

COMPLETAMENTE
SOLA EN LA PISTA...
CIENTOS DE OJOS
PENDIENTES DE TI...

... Y SOLO DE TI.

DE PRONTO RECONOCÍ LA
EXPRESIÓN DE LA CARA DE ZOEY.

¡PIIII!
¡PIIII!

¡MUY BIEN,
SE ACABÓ! ¡AHORA
A COMER PIZZA
Y A DIVERTIRNOS
UN POCO!

 + =

TERROR   ENFERMA   TERROR ZOMBI

ZOEY, VAS A HACERLO
GENIAL MAÑANA,
YA LO SABES.

AJÁ.

EN SERIO. LO HARÁS DE MARAVILLA.
TÚ... TE MERECES SER JAMMER.

¿ME HAS **VISTO** HACER
LOS JAMS ÚLTIMAMENTE?
SOY UN HORROR. NI SIQUIERA
SÉ POR QUÉ ME TUVIERON
QUE ELEGIR A MÍ.

ZOEY...

MIRA, OLVÍDALO.

INTENTÉ PASARLO BIEN EN LA FIESTA, PERO NO RESULTÓ FÁCIL AL VER A ZOEY TAN MUSTIA.

NOS DIERON LAS CAMISETAS.

¡GUAY!

ASTRID, ¿CUÁL VA A SER TU NOMBRE DE GUERRA?

¡OH! ¡NO TENGO NI IDEA!

CON TODO LO QUE HABÍA OCURRIDO... ¡SE ME OLVIDÓ POR COMPLETO QUE NECESITABA UN NOMBRE DE GUERRA PARA EL DÍA SIGUIENTE!

¿QUÉ TAL PEQUEÑA DIABLESA?

¡SUZY RUEDAS CALIENTES!

¿ÁGUILA ARDIENTE?

ESTABAN TODOS BIEN, PERO NINGUNO ERA EL ADECUADO. TENDRÍA QUE INVENTAR MI NOMBRE YO MISMA.

¡MUY BIEN, CHICAS, HORA DE RECOGER! MAÑANA POR LA TARDE OS QUIERO AQUÍ A LAS 5 PM. EL PARTIDO DE LAS MAYORES EMPIEZA A LAS 6 Y VOSOTRAS VAIS A JUGAR EN EL DESCANSO, SOBRE LAS 6.45 APROX.

RECORDAD COMER PROTEÍNAS EN ABUNDANCIA Y BEBER MUCHA AGUA DURANTE EL DÍA.

Y NO IMPORTA SI GANÁIS O PERDÉIS... PREOCUPAOS SOLO DE DISFRUTAR DE LA EXPERIENCIA.

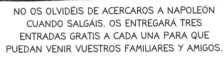

NO OS OLVIDÉIS DE ACERCAROS A NAPOLEÓN CUANDO SALGÁIS. OS ENTREGARÁ TRES ENTRADAS GRATIS A CADA UNA PARA QUE PUEDAN VENIR VUESTROS FAMILIARES Y AMIGOS.

¡ZOEY! SOLO QUERÍA DECIRTE...

PERO NO HABÍA NADA MÁS QUE DECIR. AUNQUE QUIZÁ SÍ HUBIERA ALGO QUE **HACER**.

¡PIIII, PIIII!

¡ASTRID! ¡VENGA! ¡TENGO QUE ESTAR DE VUELTA EN EL TRABAJO EN 20 MINUTOS!

¡ME HE OLVIDADO UNA COSA, MAMÁ! ¡SOLO DOS SEGUNDOS!

¡ASTRID! ¡DATE PRISA!

Querida Dentellada de Arcoíris:

Gracias por todos tus mensajes. Los conservaré toda mi vida.

En cuanto a mi nombre, de momento prefiero seguir en el anonimato.

Pero si quisieras hacer una pancarta para Matamiserables, creo que le vendría bien cualquier apoyo que le pudieras dar.

Con cariño,
Barullito de Rosa

NO ERA GRAN COSA... PERO QUIZÁ AYUDARÍA.

ADEMÁS, TAMPOCO ME APETECÍA QUE DENTELLADA SE ENTERASE DE LO DESASTROSA QUE ERA.

¿RECORDÁIS CUANDO OS DIJE QUE AÚN NO HABÍA SALIDO DEL APURO POR COMPLETO?

MAMÁ ME DIJO QUE NO PODÍA VOLVER A QUEDARME SOLA EN CASA. TENDRÍA QUE PASAR LAS TARDES CON ELLA EN SU TRABAJO **DURANTE EL RESTO DEL VERANO**.

MAMÁ ES BIBLIOTECARIA EN LA UNIVERSIDAD.

PORTLAND UNIVERSIDAD BIBLIOTECA

LE GUSTA, PERO EL VERDADERO MOTIVO DE QUE TRABAJE ALLÍ ES QUE YO PUEDA ESTUDIAR GRATIS EN LA UNIVERSIDAD, Y QUE LO RECUERDE CUANDO ELLA SEA UNA ANCIANA CON EL PELO GRIS Y SE ME OCURRA METERLA EN UNA RESIDENCIA.

UNA BIBLIOTECA NO ES UN HERVIDERO DE ACTIVIDAD NI SIQUIERA EN SUS MEJORES DÍAS... PERO EN VERANO, NO HAY CASI NADIE...

SUSPIRO.

QUÉDATE EN ESTA ZONA, ¿DE ACUERDO? HOY SALGO A LAS 4. VENDRÉ A VERTE EN MI RATO DE DESCANSO.

ESTAR SENTADA EN UNA BIBLIOTECA SILENCIOSA DURANTE 4 HORAS SEGUIDAS TE DEJA MUCHO TIEMPO PARA PENSAR. ES ALGO PARECIDO AL PURGATORIO. O A LA CÁRCEL.

Y ME SORPRENDÍ PENSANDO NO EN EL GRAN PARTIDO DE MAÑANA NI EN MI NOMBRE DE GUERRA, SINO EN ZOEY.

¿DE VERDAD ERA TAN MALA AMIGA? NO FUI CAPAZ DE DECIRLE NADA PARA QUE SE SINTIERA MEJOR.

¿QUÉ HABÍA DICHO NICOLE? ¿QUÉ NO ME IMPORTABAN LAS COSAS QUE A ELLA LE GUSTABAN?

¿Y RACHEL? ¿SEGUIRÍAN PLANEANDO MI DESGRACIA? LO DUDABA, PERO CON UNA RATA HIPÓCRITA COMO RACHEL, NUNCA SE SABE...

TENÍA DEMASIADAS IDEAS REVOLOTEANDO EN LA CABEZA. NECESITABA MOVERME UN POCO. AHORA ENTENDÍA POR QUÉ LOS PRESOS HACÍAN PESAS TODO EL TIEMPO.

A JUZGAR POR LA BIBLIOTECA, LA UNIVERSIDAD NO IBA A SER UN LUGAR DIVERTIDO. NO HABÍA SECCIÓN DE NOVELA JUVENIL NI DE NOVELA GRÁFICA.

SOLO LIBROS GORDÍSIMOS Y POLVORIENTOS FECHADOS A PARTIR DE 1875 SOBRE TEMAS TAN APASIONANTES COMO «MICROBIOLOGÍA» O «FILOSOFÍA EXISTENCIAL», O...

¿UNA HISTORIA DE BROADWAY?

¿UN LIBRO CON FOTOS A TODA PÁGINA DE HUGH JACKMAN? A ZOEY LE **ENCANTARÍA**.

DE PRONTO, SE ME OCURRIÓ UNA IDEA. Y DE LAS BUENAS.

¿MAMÁ? POR FAVOR, ¿ME PUEDO LLEVAR EL PEGAMENTO? ¿Y UNAS TIJERAS Y ROTULADORES?

NO SEAS MALEDUCADA. SALUDA A LA SEÑORA KEMP.

¡ASTRID! ¡CUÁNTO HAS CRECIDO!

¿ES ESA LA CAMISETA...?

AQUÍ TIENES, CARIÑO. VENGA, SUBE, DEPRISA. DENTRO DE UN POCO VOY A VERTE.

EMPUJÓN

¡LE DESEO UN FELIZ DÍA, SEÑORA KEMP!

AÚN ME QUEDABAN 4,75 DÓLARES DE MI ASIGNACIÓN SEMANAL PARA IMPREVISTOS. A MAMÁ SE LE HABÍA OLVIDADO PEDIRME QUE SE LOS DEVOLVIERA. LAS FOTOCOPIAS COSTABAN 2 CENTAVOS CADA UNA, LO CUAL QUERÍA DECIR QUE PODÍA HACER EXACTAMENTE...

FOTOCOPIAS $ 0,2

... MUCHÍSIMAS.

SABÍA QUE HABÍA UN MONTÓN DE PALITOS DE POLO EN LA CAJA DE MANUALIDADES QUE TENÍA EN CASA. TODO INDICABA QUE ME ESPERABA UNA NOCHE LARGA Y DE MUCHO TRABAJO.

¿NOS VAMOS?

¿QUÉ DEMONIOS ESTÁS HACIENDO?

¿PODEMOS PARAR UN MOMENTO DE CAMINO A CASA? ES MUY, MUY IMPORTANTE.

LO BUENO DE HABER RECORRIDO LA CIUDAD SOBRE PATINES ERA QUE AHORA ME RESULTABA MUY FÁCIL ORIENTARME.

GIRA A LA IZQUIERDA Y ES... AL FINAL DE ESTA CALLE.

REEDWAY

AHORA MISMO VUELVO.

¡CÁLLATE, ZOEY!

¡DEJA DE SENTARTE ENCIMA DE MÍ!

DING DONG

¡YA ABRO YO!

TU CARA VA A ESPANTAR A LAS VISITAS! ¡ABRO **YO**!

¡DEPRISA, MAMÁ, PISA A FONDO!

¡ZOEY! ALGUIEN TE HA DEJADO A LA PUERTA UN MUÑECO DE VUDÚ MUY RARO.

Hugh Jackman dice: Mañana vas a hacerlo genial.

MAMÁ, ¿TE IMPORTA SI HACEMOS UNA **ÚLTIMA** PARADA?

LLEGAMOS A LOS POCOS MINUTOS.

ESTOY ORGULLOSA DE TI, CARIÑO. ¿SEGURO QUE NO QUIERES QUE ENTRE CONTIGO?

SEGURO. ESTO TENGO QUE HACERLO YO SOLA.

NI SIQUIERA ESTABA SEGURA DE SI DEBÍA HACERLO. PERO NO DEJABA DE PENSAR EN LAS PALABRAS DE DENTELLADA DE ARCOÍRIS. PODÍA SEGUIR REHUYENDO BATALLAS Y VIVIR CON MIEDO...

... O AGARRARLO POR LOS CUERNOS.

¡NICOLE! ¡RACHEL!

¿QUÉ HACES **TÚ** AQUÍ? CREÍ QUE TE HABÍA DICHO QUE NO TE ACERCARAS A NOSOTRAS. ¿ES QUE VOY A TENER QUE PEDIR UNA ORDEN DE ALEJAMIENTO?

ESCUCHAD, TENGO DOS ENTRADAS PARA MI PARTIDO DE ROLLER DERBY DE MAÑANA POR LA TARDE. Y... QUIERO REGALÁROSLAS. QUIERO UNA TREGUA.

¿UNA **TREGUA**? ¿LO DICES EN SERIO? ¿DESPUÉS DE LO QUE NOS HICISTE? ¿Y POR QUÉ ÍBAMOS A QUERER IR A TU ESTÚPIDO...?

Y ENTONCES LO OÍ. EL SONIDO MÁS MARAVILLOSO DEL MUNDO, NICOLE INTERRUMPIÓ A RACHEL.

MUCHAS GRACIAS, ASTRID. ES... TODO UN DETALLE.

CLARO, Y... VOY A IR A TU FUNCIÓN DE BALLET LA SEMANA QUE VIENE. NO TE SIENTAS OBLIGADA A VENIR MAÑANA. SOLO... QUERÍA QUE LO SUPIERAS.

ASÍ QUE... NOS VEMOS.

SÍ, NOS VEMOS.

QUIZÁ HABÍA SIDO UNA IDEA ESTÚPIDA. QUIZÁ DEBERÍA HABERLES ENTREGADO HUEVOS PODRIDOS Y TOMATES PARA QUE ME LOS TIRASEN MIENTRAS JUGABA, PERO AHORA, PASARA LO QUE PASARA MAÑANA...

... ME QUEDÉ CON LA SENSACIÓN DE QUE HOY HABÍA GANADO ALGO.

MARCADOR:
YO: 1
RACHEL: 0

CAPÍTULO · 15

CUANDO ME DESPERTÉ AL DÍA SIGUIENTE, NO SALTÉ DE LA CAMA DE INMEDIATO. UNA BANDADA DE MARIPOSAS REVOLOTEABA POR MI ESTÓMAGO. HABÍA LLEGADO EL DÍA. EL DÍA DEL PARTIDO.

ME HABÍA QUEDADO HASTA PASADA LA MEDIANOCHE TRABAJANDO EN MI PLAN SECRETO. NI SIQUIERA HABÍA PENSADO EN MI NOMBRE DE GUERRA.

ME QUEDÉ MIRANDO AL TECHO, COMO SI FUERA A ENCONTRAR LA RESPUESTA EN AQUEL UNIVERSO PINTADO.

CUÁNTAS COSAS HABÍAN CAMBIADO AQUEL VERANO. YA NO ME SENTÍA COMO NINGUNO DE ESOS PLANETAS, DANDO VUELTAS ALREDEDOR DEL SOL CON NICOLE Y MAMÁ A MI LADO.

PERO QUIZÁ TAMPOCO ERA UNA PELOTA DE GOLF SOLITARIA.

SOLO QUEDABAN UNAS HORAS PARA PRESENTARME EN EL HANGAR Y AÚN TENÍA MUCHO QUE HACER.

TENÍA QUE PONER MI NOMBRE Y MI NÚMERO EN LA ESPALDA DE LA CAMISETA.

TENÍA QUE DECORAR MI CASCO... Y REQUERÍA CIERTO ESFUERZO CREATIVO.

¿QUÉ ESTÁS HACIENDO AHÍ, ASTRID?

¡NADA! ¡NO ENTRES!

TENÍA QUE COMPONER MI EQUIPACIÓN.

SHORTS DE GIMNASIA

MALLAS AZULES DEL DISFRAZ DE HALLOWEEN.

(SUPERMAN, POR SI OS INTERESA)

PAÑUELO DE MI OSITO

CAMISETA DEL UNIFORME

PRONUNCIÉ UNAS PALABRAS QUE CREÍ QUE JAMÁS SALDRÍAN DE MI BOCA:

¡MAMÁ!

¿ME PUEDES AYUDAR CON EL MAQUILLAJE?

MAMÁ TARDÓ 1,7 SEGUNDOS.

¡OH! ¡NUESTRA PRIMERA SESIÓN DE MAQUILLAJE MADRE-HIJA!

CUANDO TE PONGAS *EYELINER*, TIENES QUE HACERLO LO MÁS PEGADO POSIBLE A LAS PESTAÑAS.

ABRE LOS OJOS **TODO LO QUE PUEDAS** CUANDO TE ECHES RÍMEL.

LA CLAVE ES PARECER NATURAL.

NATURAL. LO PILLO. AHORA... ¿PUEDES ENSEÑARME CÓMO PARECER UNA VAMPIRA ÁVIDA DE SANGRE?

SUSPIRO.

FUE AL LLEGAR AL HANGAR CUANDO EMPECÉ A PONERME NERVIOSA. NUNCA LO HABÍA VISTO TAN LLENO.

HABÍA VOLUNTARIOS, PRESENTADORES, PATINADORAS ADULTAS...

...PERO NO VI A ZOEY.

¡NOS VEMOS AHÍ FUERA DENTRO DE 15 MINUTOS! CORRED LA VOZ.

¡AH!, BONITO NOMBRE... ASTEROIDE.

15 MINUTOS. DEBERÍAN BASTAR PARA PONER EN MARCHA MI PLAN SECRETO.

TENÍA QUE HACERLO ANTES DE QUE ALGUIEN SE DIERA CUENTA Y ME PREGUNTARA QUÉ ESTABA HACIENDO.

¡HOLA! ¿PODRÍAN REPARTIR ESTO POR AHÍ? SON PARA EL PARTIDILLO QUE SE VA A JUGAR EN EL DESCANSO.

¡HOLA! ¡PARA EL PARTIDO QUE SE VA A JUGAR EN EL DESCANSO!

¡REPÁRTANLAS! ¡SON CARETAS PARA ANIMAR EN EL PARTIDILLO!

SEGUÍA SIN VER A ZOEY... **NI** A NICOLE.

PERO SÍ VI A MAMÁ, QUIZÁ **DEMASIADO** BIEN.

¡ASTRID! ¡ASTRID, CARIÑO! ¡AQUÍ ARRIBA!

REPARTÍ EL RESTO DE LAS CARETAS Y ME DIRIGÍ AL BAÑO POR ENÉSIMA VEZ EN EL DÍA.

VESTUARIOS

¿QUÉ DEMONIOS SON ESTOS **CHISMES**?

¿Y A QUIÉN CREÉIS QUE ENCONTRÉ ALLÍ MÁS QUE A...

¿ZOEY?

NO PUEDO. NO ESTOY PREPARADA. ¿HAS VISTO LA CANTIDAD DE GENTE QUE HAY AHÍ FUERA?

¡CLARO QUE LO **ESTÁS**! TE QUEDASTE A PRACTICAR DESPUÉS DE LOS ENTRENAMIENTOS DOS SEMANAS ENTERAS Y ¡**ESTE** ES EL RESULTADO!

NO PARECÍA MUY CONVENCIDA.

BUENO, VALE... ¡PIENSA QUE ES COMO UNA ACTUACIÓN! AUNQUE COMETAS UN ERROR ESTREPITOSO... PUEDES CONVERTIRLO EN PARTE DE TU INTERPRETACIÓN, ¿NO?

MIS PALABRAS PASARÍAN A LA HISTORIA COMO EL PEOR DISCURSO MOTIVACIONAL DEL MUNDO, PERO...

ESO..., ESO ES CIERTO. EL ESPECTÁCULO DEBE CONTINUAR, ¿O NO?

ADEMÁS, HUGH JACKMAN CREE EN MÍ.

ESPERÉ MIENTRAS ZOEY SE LAVABA LA CARA Y LE PASÉ UNAS TOALLITAS DE PAPEL CUANDO TERMINÓ.

¿PREPARADA?

CAPÍTULO 16

LAS ENTRENADORAS NOS DIJERON QUE PATINÁRAMOS POR EL APARCAMIENTO MIENTRAS ESPERÁBAMOS HASTA EL DESCANSO DEL PARTIDO. ASÍ YA HABRÍAMOS CALENTADO LO SUFICIENTE CUANDO LLEGARA LA HORA.

ADEMÁS, PENSABAN QUE NOS PONDRÍAMOS MENOS NERVIOSAS ALEJADAS DE AQUEL GENTÍO.

¡GRRRR!

¡BIEEN!

Y DE REPENTE...

¡ATENTAS, OS QUEDAN UNOS 5 MINUTOS PARA ENTRAR!

A ESTE LADO, EL EQUIPO DE LAS GLACIALES.

Y A ESTE OTRO, LA PESTE NEGRA.

CUANDO ANUNCIE EL NOMBRE DE CADA EQUIPO, DAIS UNA VUELTA PATINANDO TODAS JUNTAS, SALUDÁIS AL PÚBLICO Y DESPUÉS VAIS A VUESTROS RESPECTIVOS BANQUILLOS.

AY, DIOS. ESTÁ PASANDO. ESTÁ PASANDO DE VERDAD. ESTÁ...

¿CÓMO ES POSIBLE QUE TRENCITAS PUÑETAZO DÉ **AÚN MÁS MIEDO** QUE EN LA VIDA REAL?

¡Y CON UN RESULTADO DE 79 A 43, NUESTRAS ROSAS AFRONTARÁN EL SEGUNDO TIEMPO CON UNA GRAN VENTAJA! PERO ¡NO ABANDONEN SUS PUESTOS! ¡VAYAN A BUSCAR UN REFRESCO Y VUELVAN A SUS ASIENTOS, PORQUE EN UNOS INSTANTES DISFRUTAREMOS DE MÁS ACCIÓN Y **MÁS** ROLLER DERBY!

A CONTINUACIÓN, LA SIGUIENTE GENERACIÓN DE PATINADORAS DE NUESTRAS ROSAS DE PORTLAND... **¡LOS CAPULLITOS DE ROSA!** ¡ESTAS PATINADORAS TIENEN ENTRE 12 Y 17 AÑOS Y ESTÁN PREPARADAS PARA DAR MUCHA GUERRA!

¡DAMAS Y CABALLEROS, CON USTEDES EL PRIMER EQUIPO PARA EL ENCUENTRO ESPECIAL DEL DESCANSO, **LA PESTE NEGRA**!

¡Y SUS RIVALES, VISTIENDO EQUIPACIÓN AZUL HIELO...!

ALLÁ VAMOS...

¡LAS GLACIALES!

¡YUJUU!

LOS FLASHES DE LAS CÁMARAS PARECÍAN ESTRELLAS. ESTABA SIENDO, SIN DUDA, UNO DE LOS MEJORES MOMENTOS DE MI VIDA...

¡PLAS, PLAS!

¡SÍÍÍÍÍ!

¡SÍÍÍÍÍ!

¡BIEEEEEN!

... DE MOMENTO.

¡GLACIALES! ¡A POR ELLAS! ¡NUESTRO GRITO DE ÁNIMO!

1, 2, 3...

¡GLACIALES!

¡AHORA MOSTRADME VUESTRA CARA DE GUERRA!

¡¡¡¡¡GRRRRRRRRRRRRRRRRRRRRRRRRRRRRRR!!!!!

¡Y AHORA SALID AHÍ FUERA Y HACEDME SENTIR ORGULLOSA!

¡ZOEY!, QUIERO DECIR, ¡MATAMISERABLES! VAS A HACER EL PRIMER JAM. ASTEROIDE, TÚ SERÁS LA BLOQUEADORA #3. ¡SALID LAS DOS!

¡MI PRIMER TIEMPO EN UN PARTIDO DE VERDAD! ¡MI PRIMER TIEMPO EN UN...!

¡PLAF!

QUIZÁ OS PREGUNTÉIS... CÓMO SE SIENTE UNA CUANDO SE CAE DELANTE DE 500 PERSONAS.

RESPUESTA: SORPRENDENTEMENTE... ¡NO DEMASIADO MAL!

¡HE SALIDO **BIEN** DEL PASO!

¡Y AHÍ TENEMOS A LAS DOS PRIMERAS FORMACIONES! ¡MATAMISERABLES SERÁ LA JAMMER DE LAS GLACIALES, MIENTRAS QUE FEROCIDAD FELIZ ANOTARÁ PARA LA PESTE NEGRA!

¡Vamos, Mata!
¡A por ellas, Mata!
¡Son tuyas, Fero!
¡Vamos, Fero!
¡VAMOS, ASTEROIDE!

¡VAMOS, ASTEROIDE!

¡PATINADORAS, PREPARADAS!

¡PIIIII!

EN CUANTO SONÓ EL SILBATO, EL PÚBLICO DESAPARECIÓ Y FUE COMO UN ENTRENAMIENTO MÁS.

Y DIGO BIEN: COMO UN ENTRENAMIENTO **MÁS**.

GIRO

FALLO

¡VAYA!

¡AUNQUE LOGRÉ HACER VARIAS COSAS BIEN!

CUBRÍ LA LÍNEA INTERIOR...

... HICE UN BUEN BLOQUEO DE CADERA A SU JAMMER...

... Y CONSEGUÍ QUE NO ME DIERA TRENCITAS PUÑETAZO.

GLUPS

¡ZOEY TAMPOCO LO ESTABA HACIENDO NADA MAL...

... CASI TODO EL TIEMPO.

Peste Negra

Glaciales

85

81

Tiempo restante:

0:45

¡MANTUVIMOS UN RESULTADO MUY AJUSTADO TODO EL TIEMPO! Y PARA MI SORPRESA... ¡ME LO ESTABA PASANDO **EN GRANDE**!

¡YUJU!

¡SÍ!

TANTO, QUE ANTES DE QUE ME DIERA CUENTA...

¡TIEMPO MUERTO A PETICIÓN DE LA ENTRENADORA DE LAS GLACIALES! EL MARCADOR ES PESTE NEGRA 85 - GLACIALES 81, A FALTA DE MENOS DE UN MINUTO...

¡... Y ESTE SERÁ PROBABLEMENTE EL ÚLTIMO JAM DEL PARTIDO!

CHICAS, AHORA O NUNCA. **ÚLTIMO JAM**. SOLO NOS SACAN 4 PUNTOS DE VENTAJA. PODEMOS GANAR.

BLOQUEADORAS: COFIA, INDIE, FRANKENDAÑO Y ASTEROIDE. MATAMISERABLES, TÚ SALES DE JAMMER.

GLUPS

MANTENED LA CALMA Y LO CONSEGUIREMOS. COMO EN LOS ENTRENAMIENTOS, ¿DE ACUERDO?

1, 2, 3...

¡GLACIALES!

OCUPÉ MI PUESTO EN LA PISTA POR ÚLTIMA VEZ, Y ME VI...

... AL LADO DE TRENCITAS PUÑETAZO.

¡ESTE PARTIDO ES NUESTRO, MEQUETREFE, Y **NO** NOS LO VAIS A ARREBATAR!

¡PARECE QUE MATAMISERABLES Y FEROCIDAD FELIZ VAN A SER LAS ÚLTIMAS JAMMMERS DEL PARTIDO!

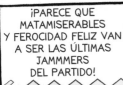

¡P|||||!

¡OOOOH, Y FERO GOLPEA A MATA Y LE HACE PERDER SU POSICIÓN! PERO... UN MOMENTO...

¡P|||||!

¡EL ÁRBITRO PITA **FALTA GRAVE** A FEROCIDAD FELIZ!

¡VA A TENER QUE QUEDARSE EN LA **CAJA DE PENALTI**!

¡ESTA ES LA OPORTUNIDAD QUE LAS GLACIALES NECESITABAN! ¡MATA ES LA ÚNICA JAMMER SOBRE LA PISTA, ASÍ QUE SERÁ **LA ÚNICA QUE PUEDA ANOTAR PUNTOS**! ¡LAS GLACIALES PUEDEN DAR LA VUELTA AL MARCADOR!

Y YA HA PASADO EL PACK DE BLOQUEADORAS UNA VEZ. RECUERDEN, NO PODRÁ EMPEZAR A ANOTAR HASTA QUE VUELVA A PASAR AL PACK. SE DISPONE A HACER SU SEGUNDO INTENTO...

¡... ESTÁ DETRÁS DE LAS BLOQUEADORAS, EN POSICIÓN DE ANOTACIÓN!

¡MUY BIEN, GLACIALES! ¡BLOQUEAD! ¡AYUDAD A QUE MATAMISERABLES PASE EL PACK! ¡HACED QUE ANOTE ESOS PUNTOS Y GANAREMOS EL PARTIDO!

¡HAZ UN BLOQUEO, ASTEROIDE!

¡HAZ UN BLOQUEO, ASTEROIDE!

LAS GLACIALES ESTÁN TRATANDO DE ASISTIR A MATAMISERABLES... ¡PERO ESTÁ ATASCADA TRAS EL PACK, JUSTO DETRÁS DE TRENCITAS PUÑETAZO!

¡ESTA TRENCITAS PUÑETAZO ES UNA BLOQUEADORA **SERIA**! ¡**NO** VA A DEJAR PASAR A MATAMISERABLES!

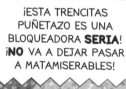

¡AYUDA!

¡SOLO 20 SEGUNDOS PARA EL FINAL DEL ENCUENTRO Y MATAMISERABLES **SIGUE** BLOQUEADA DETRÁS DE TRENCITAS PUÑETAZO! SI MATA NO CONSIGUE PASAR, ¡LA PESTE NEGRA GANARÁ EL PARTIDO!

DE REPENTE, SUPE QUÉ DEBÍA HACER.

¡EH, TRENCITAS! ¡EN ESTA PISTA SOLO HAY SITIO PARA UN PAR DE TRENZAS AZULES!

¡CARA DE GUERRA!

RRRRRR!

Asteroide

¡BLAM!

PLAS

¿LLAMAS A ESO UN BLOQUEO, MEQUETREFE?

OH, NO.

¡iAAAAAAAYY!!

¡OOOOOOH! ¡Y UN **TREMENDO** BLOQUEO DE TRENCITAS PUÑETAZO PONE A ASTEROIDE **EN ÓRBITA**!

Y DESDE MI OBSERVATORIO EN LAS ALTURAS, LO VI...

PERO ¡UN MOMENTO, DAMAS Y CABALLEROS! ¡EN ESE INSTANTE DE DISTRACCIÓN DE TRENCITAS PUÑETAZO, MATAMISERABLES LOGRA PASARLA!

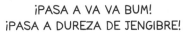

¡PASA A VA VA BUM! ¡PASA A DUREZA DE JENGIBRE!

UNA PATINADORA MÁS Y...

¡LO CONSIGUE!

¡MATAMISERABLES CORTA EL JAM Y LAS GLACIALES GANAN! ¡MARCADOR FINAL: GLACIALES 86 - PESTE NEGRA 85!

¡UUUF!

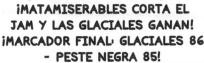

VI AL EQUIPO CORRER A RODEAR A ZOEY, ABRAZÁNDOLA Y VITOREÁNDOLA...

... Y LUEGO VI QUE ZOEY CORRÍA HACIA MÍ.

¿ESTÁS BIEN?

NOTO UNA SENSACIÓN RARA EN EL TOBILLO, PERO CREO QUE ESTOY BIEN.

¿VES, HEIDI? AL MENOS APRENDÍ ALGO, YO...

CAÍSTE HECHA UN OVILLO, LO SÉ. SI NO ME DIERA UN INFARTO DIARIO CONTIGO, PENSARÍA QUE ESTARÍA PASANDO ALGO MALO. ¿PUEDES PONERTE DE PIE?

CREO QUE SÍ.

ZOEY, AYÚDALA A LLEGAR HASTA LOS SERVICIOS SANITARIOS, ¿QUIERES?

¡DAMAS Y CABALLEROS...

... UN APLAUSO PARA ASTEROIDE! ¡ESTAS CHICAS SON MUY JÓVENES, PERO TAN DURAS COMO CUALQUIER OTRA PATINADORA!

¡BIEEN!

¡SÍÍÍ!

LUEGO EMPEZÓ LA SEGUNDA PARTE DEL PARTIDO DE LAS MAYORES. ZOEY SE QUEDÓ CONMIGO MIENTRAS ME ATENDÍAN.

¡AY!

Y MAMÁ TAMBIÉN SE QUEDÓ...

... POR SUPUESTO.

¡MI NIÑA! ¡MI NIÑA PRECIOSA!

¡MAMÁ! ¡ESTOY BIEN! ME ENCUENTRO MUCHO MEJOR.

PARECE UN ESGUINCE LEVE. QUIERO QUE TE QUEDES AQUÍ CON HIELO EN EL TOBILLO, ¿DE ACUERDO?

OKAY.

VIMOS LA SEGUNDA PARTE DEL PARTIDO DE LAS MAYORES DESDE LA LÍNEA DE BANDA, ¡EL MEJOR SITIO!

¡VAMOS, DENTELLADA DE ARCOÍRIS!

¡CARAY!, ¿**HAS VISTO** ESO?

HA SIDO **INCREÍBLE**. ¡QUIERO APRENDER A HACERLO!

¡DAMAS Y CABALLEROS, DENTELLADA DE ARCOÍRIS CORTA EL JAM Y DEJA EL RESULTADO FINAL EN PORTLAND 204 - SEATTLE 117!

¡YUJUUU!

¡BIEN, DENTELLADA!

¡Y PORTLAND TOMA LA PISTA PARA DAR LA VUELTA DE HONOR!

¡CAPULLITOS! ¡EH, CAPULLITOS! ¡ACOMPAÑADNOS A DAR LA VUELTA DE HONOR!

ALEJOP

TRAS DAR LA VUELTA DE HONOR, ME REUNÍ CON MI EQUIPO.

¡HAS ESTADO **INCREÍBLE**, ASTEROIDE!

¡JAMÁS HABÍA VISTO A NADIE LLEVARSE UN GOLPE COMO ESE!

EH, MEQUETREFE... ME ALEGRO DE QUE ESTÉS BIEN.

¡OH!

MATAMISERABLES, ¿NOS FIRMAS UN AUTÓGRAFO?

OH... ¡SÍ, CLARO!

DISCULPA, ASTEROIDE...

¿TE IMPORTARÍA FIRMAR EL PROGRAMA DE MI NIETA?

¿SEÑOR RANDOLPH? ¿EL DE LA TIENDA?

¡VEÍA EL FOLLETO EN LA TIENDA TODOS LOS DÍAS Y QUISE SABER DE QUÉ IBA ESTO DEL ROLLER DERBY! ADEMÁS, ME PARECIÓ QUE SERÍAS UN BUEN EJEMPLO PARA EMMY.

¡SÉ PATINAR!

¿EN SERIO? ¿Y TAMBIÉN QUIERES JUGAR AL ROLLER DERBY?

¡SÍ!

BUENO, HAY QUE TRABAJAR DURO, PERO ES MUY DIVERTIDO.

¿QUÉ SE DICE, EMMY?

¡GRACIAS!

Y ENTONCES, ENTRE LA MULTITUD...

... LA VI.

★ 230 ★

¿ESTÁS BIEN? QUERÍA BAJAR A VER CÓMO ESTABAS, PERO MI PADRE DIJO QUE NO.

SÍ, ESTOY BIEN, ¿VES? YA CASI PUEDO APOYAR CON NORMALIDAD.

¡BONITAS MEDIAS!

¡GRACIAS!

HOLA, SEÑOR B. HOLA, ADAM.

¡CUANDO SALISTE VOLANDO POR LOS AIRES...! CREÍ QUE TE HABÍAS DESTROZADO LA ESPALDA.

¡FUE IMPRESIONANTE!

YYYYY... ¿RACHEL NO HA VENIDO?

NO. NO... NO PUDO. PERO ADAM QUERÍA VENIR, ASÍ QUE...

Y... AHORA TE PARECERÁ UNA TONTERÍA, PERO... TOMA. PARA TI.

NO, ME... ¡ME ENCANTAN!

BUENO... ME PARECE QUE YA NOS VAMOS. ¿TE APETECE VENIR A CENAR CON NOSOTROS?

NICOLE HA SIDO MI MEJOR AMIGA TODA MI VIDA. DESDE QUE TENÍA USO DE RAZÓN, TODO LO HACÍAMOS JUNTAS.

SIN EMBARGO...

CREO...

CREO QUE MEJOR ME QUEDO

CON EL EQUIPO.

AH.

VALE.

ADIÓS, NICOLE.

ADIÓS, ASTRID.

ES CURIOSO CUÁNTAS COSAS
HAN CAMBIADO ESTE VERANO.

ANTES TODO ERA MUY SIMPLE.
BLANCO O NEGRO.
FELIZ, TRISTE.
MEJOR AMIGA, PEOR ENEMIGA.

AHORA TODO PARECÍA TAN... COMPLEJO.
ME ENCONTRABA EN TIERRA DE NADIE,
EN UN TERRITORIO INEXPLORADO.

QUIZÁ TENÍA QUE SER YO MISMA
QUIEN TRAZARA MI PROPIA
RUTA PARA RECORRERLO.

DE PRONTO, MIRÉ A LA MULTITUD QUE ME
RODEABA Y ME SENTÍ... PERDIDA. PARECE COSA
DE NIÑA PEQUEÑA, PERO ME INVADIÓ
UN PÁNICO REPENTINO.

¡OH!

¿MAMÁ?
¿ZOEY?

HACE UN MOMENTO
ESTABAN AHÍ...

ERA MI OPORTUNIDAD PARA HABLAR CON ELLA EN PERSONA. TENÍA QUE HACERLO. MÁS FIRME. MÁS FUERTE. SIN MIEDO.

PERDONA... ¿DENTELLADA DE ARCOÍRIS?

«¡SOY YO! ¡BARULLITO DE ROSA! TU ADMIRADORA MÁS INCONDICIONAL, TU AMIGA POR CORRESPONDENCIA SECRETA...»

EEEEH... ¿PODRÍAS FIRMARME UN AUTÓGRAFO, POR FAVOR?

CADA COSA A SU TIEMPO.

CLARO... PERO ¡SI TÚ ME FIRMAS EL TUYO!

¿YO?

¡TÚ! HICISTE UNA JUGADA ENDIABLADAMENTE BUENA. ¡Y LA PRÓXIMA VEZ, SI LLEGAS A DEJAR FUERA DE JUEGO A TU RIVAL, LO HARÁS MUCHO MEJOR!

¡VALE!

ESTABA EMPEZANDO A PERFECCIONAR MI NUEVA FIRMA.

Asteroide

TENGO QUE IRME. CUÍDATE ESE TOBILLO, ¿DE ACUERDO?

¡SÍ!

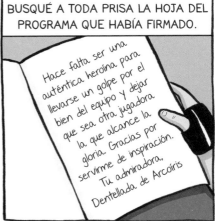

BUSQUÉ A TODA PRISA LA HOJA DEL PROGRAMA QUE HABÍA FIRMADO.

Hace falta ser una auténtica heroína para llevarse un golpe por el bien del equipo y dejar que sea otra jugadora la que alcance la gloria. Gracias por servirme de inspiración.
Tu admiradora,
Dentellada de Arcoíris

CASI ME PIERDO LA ÚLTIMA PARTE:

PD: «Asteroide» suena mucho mejor que «Barullito de Rosa».

GUIÑO

Victoria Jamieson estudió ilustración en la Escuela de Diseño de Rhode Island. Antes de dedicarse exclusivamente a la ilustración, trabajó como retratista en un crucero, guía turística en los Museos Vaticanos y diseñadora de libros infantiles. Vivió en Australia, Italia y Canadá hasta que finalmente se instaló en Estados Unidos, en Portland, Oregón, donde comparte su vida con su marido, su hijo y un gato maleducado. Cuando no está dibujando se convierte en *Winnie the Pow,* una magnífica patinadora que compite en la liga de roller derby de la ciudad de Rose.

¡Tres novelas gráficas con unas protagonistas divertidas e inolvidables!

Raina Telgemeier

Ganadora del premio Eisner 2015 al Mejor escritor e ilustrador

Cece Bell

Ganadora del premio Eisner 2017 al Mejor escritor e ilustrador